CONFISSÕES DE UMA MÁSCARA

YUKIO MISHIMA

Confissões de uma máscara

Tradução do japonês
Jaqueline Nabeta

4ª *reimpressão*

COMPANHIA DAS LETRAS

Copyright © 1949 by Herdeiros de Yukio Mishima

Grafia atualizada segundo o Acordo Ortográfico da Língua Portuguesa de 1990, que entrou em vigor no Brasil em 2009.

Esta edição contou com subsídios de apoio à tradução e publicação da Fundação Japão.

Título original
Kamen no kokuhaku

Capa
Silvia Ribeiro

Foto da capa
Silvia Ribeiro

Revisão
Renato Potenza Rodrigues
Ana Maria Barbosa
Geuid Dib Jardim
Andrea Souzedo

Dados Internacionais de Catalogação na Publicação (CIP)
(Câmara Brasileira do Livro, SP, Brasil)

Mishima, Yukio
    Confissões de uma máscara / Yukio Mishima ;
tradução do japonês Jaqueline Nabeta. — 1ª ed. — São Paulo :
Companhia das Letras, 2004.

    Título original: Kamen no kokuhaku.
    ISBN 978-85-359-0479-6

    1. Ficção japonesa I. Título.

04-1360   CDD-895.635

Índice para catálogo sistemático:
1. Ficção : Literatura japonesa 895.635

Todos os direitos desta edição reservados à
EDITORA SCHWARCZ S.A.
Rua Bandeira Paulista, 702, cj. 32
04532-002 — São Paulo — SP
Telefone: (11) 3707-3500
www.companhiadasletras.com.br
www.blogdacompanhia.com.br
facebook.com/companhiadasletras
instagram.com/companhiadasletras
twitter.com/cialetras

[...] *A beleza é uma coisa terrível e espantosa. Terrível, porque indefinível, e não se pode defini-la porque Deus só criou enigmas. Os extremos se tocam, as contradições vivem juntas. Sou pouco instruído, irmão, mas tenho pensado muito nessas coisas. Quantos mistérios acabrunham o homem! Penetra-os e volta intacto. Assim a beleza. Não posso tolerar que um homem de grande coração e de alta inteligência comece pelo ideal da Madona e venha a acabar no de Sodoma. Mas o mais horrível é, trazendo no seu coração o ideal de Sodoma, não repudiar o de Madona, arder por ele como nos seus jovens dias de inocência. Não, o espírito humano é demasiado vasto, gostaria de restringi-lo. O diabo é quem sabe de tudo. O coração acha beleza até na vergonha, no ideal de Sodoma, que é o da imensa maioria. Conheces esse mistério? É o duelo do diabo e de Deus, sendo o coração humano o campo de batalha. Ora fala-se daquilo que faz a gente sofrer. Vamos, pois, ao fato.*

Fiódor Dostoiévski, Os irmãos Karamazov

1.

Por um bom tempo, insisti em que tinha lembrança de cenas do meu próprio nascimento. Toda vez que dizia isso, provocava, de início, o riso dos adultos, mas, julgando que eu os estava enganando, eles terminavam por fitar aquele meu rosto pálido, que nem parecia de criança, com um olhar matizado por ira contida. E quando acontecia de eu fazer essa afirmação na presença de visitas não tão íntimas, minha avó, temendo que me tomassem por idiota, interrompia-me com voz cortante: "Vá brincar para lá".

Em geral ainda sorridentes, os adultos procuravam contornar a situação com explicações científicas. Diziam, por exemplo, que, ao nascer, os bebês ainda não enxergam ou, mesmo que enxerguem, não conseguem formar imagens claras a ponto de poderem se lembrar delas. Era sempre assim: falando com certa paixão dramática, buscavam esmiuçar as explicações de modo a que a mente de uma criança pudesse digeri-las.

"Não é isso mesmo?", perguntavam, chacoalhando o ombro frágil da criança ainda em dúvida, e pareciam então se dar conta de estarem prestes a cair numa armadilha. Todo cuidado é pouco, mesmo em se tratando de uma criança. Sem dúvida, aquele moleque estava preparando o terreno para perguntar sobre *aquilo*, e nada o impediria então de, com inocência ainda maior, como toda criança, perguntar: "De onde eu vim? Como eu nasci?". No fim, tornariam a me olhar em silêncio, com um sorriso débil congelado nos lábios, sinalizando que, por alguma razão que nunca fui capaz de entender, estavam muito magoados.

Mas seus receios não tinham fundamento. Nem passava por minha cabeça perguntar sobre *aquilo*. E mesmo que quisesse, como poderia eu, que morria de medo de ferir os adultos, pensar em preparar-lhes alguma armadilha?

Por mais que ouvisse aquelas explicações, por mais que me refutassem com suas risadas, eu não conseguia deixar de acreditar que vira cenas de meu nascimento. Talvez minha memória se baseasse no que ouvira de alguém presente nele, talvez fosse pura imaginação minha. Há, no entanto, uma cena de que me lembro com clareza, algo que não poderia ter visto senão com meus próprios olhos. Trata-se da borda da tina utilizada em meu primeiro banho. Era uma tina novinha, cuja madeira lisa proporcionava uma sensação de frescor e maciez ao toque; olhando-se lá de dentro, via-se um delicado raio de luz refletido na borda. Só naquele ponto a superfície de madeira cintilava, como feita de ouro. Agitando-se, a água formava línguas que pareciam querer lamber aquele brilho, sem contudo chegar a tocá-lo. Mais abaixo, porém, talvez por causa do reflexo, ou porque o raio de luz também penetrasse na bacia, a água reluzia calmamente, como se pequenas ondas brilhantes se chocassem sem cessar, umas de encontro às outras...

O fato de eu não ter nascido durante o dia era o argumento mais forte a refutar minha lembrança. Eu nascera às nove da noite. A presença de um raio de sol àquela hora era impossível. Ainda que zombassem de mim — "Então era a luz de uma lâmpada" —, eu não tinha a menor dificuldade em incorrer no absurdo de acreditar que, mesmo de madrugada, um raio de sol batia, sim, ao menos naquele ponto da tina. E a luz trêmula da borda da bacia ficou cintilando em minha memória como algo que eu havia visto de fato quando de meu primeiro banho.

Nasci dois anos após o Grande Terremoto.

Dez anos antes, devido a um escândalo ocorrido na época em que ele era governador de uma colônia*, meu avô renunciara a esse posto, responsabilizando-se por certo delito cometido por um subordinado (não se trata de eufemismo: já vivi metade de minha vida e até hoje nunca vi nada comparável à tola confiança irrestrita que meu avô depositava nos seres humanos). A partir de então, minha família começou a deslizar morro abaixo numa velocidade tão despreocupada que fico tentado a dizer que o fez cantarolando. Dívidas enormes, hipotecas, venda de imóveis... Além disso, à medida que as dificuldades financeiras aumentavam, uma vaidade mórbida flamejava cada vez mais alto, como um ímpeto sombrio...

Assim sendo, nasci numa velha casa alugada, de esquina, situada num bairro não muito conceituado de Tóquio. Era uma casa pretensiosa, de aparência algo caótica, que provocava uma impressão sombria, cinzenta. Possuía um imponente portão de ferro, um jardim na entrada e uma sala em estilo ocidental, tão grande quanto o interior de uma igreja de subúrbio. Na parte alta da ladeira, a casa tinha dois pavimentos; na parte baixa, três. Havia muitos aposentos escuros e seis criadas. No total, dez pessoas — as criadas, meu avô, minha avó, meu pai e minha mãe

---

* O avô de Mishima serviu como governador nas ilhas Sacalinas durante a guerra entre Japão e Rússia. (N. T.)

— levantavam-se toda manhã e iam se deitar à noite naquela casa que rangia como cômoda velha.

Os problemas da família se originavam da fome de meu avô por negócios, bem como da doença e dos modos extravagantes de minha avó. Meu avô, sonhando sonhos dourados, viajava com frequência para lugares distantes, tentado pelos planos de duvidosos camaradas. Minha avó, oriunda de família tradicional, odiava e desprezava o marido. Tinha uma alma estreita, indomável e confusamente poética. Um caso crônico de nevralgia cerebral estava dizimando seus nervos de forma indireta, mas incessante, ao mesmo tempo que lhe conferia lucidez fútil ao intelecto. Quem poderia dizer se as crises de depressão que perduraram até a morte dela não eram a marca deixada pelos delitos cometidos por meu avô em seus áureos tempos?

Foi para aquela casa que meu pai levou minha mãe, uma noiva bela e frágil.

Na manhã do dia 14 de janeiro de 1925, as dores do parto a acometeram. Às nove da noite nascia um bebê pequeno, de apenas dois quilos e quatrocentos gramas.

Na noite do sétimo dia vestiram o bebê com um gibão de flanela, um *habutai** de cor creme e um quimono de seda raiado; diante de toda a família, meu avô traçou meu nome num papel especial usado em celebrações e o colocou sobre o pedestal de oferendas, no *tokonoma*.

Tive cabelos loiros durante muito tempo. Escureceram por causa do azeite de oliva que passavam nele com frequência.

Meus pais moravam no segundo piso. Sob o pretexto de que seria perigoso criar um bebê no pavimento superior, minha avó arrancou-me, aos quarenta e nove dias de vida, dos braços de mi-

---

* Vestimenta de algodão que se usa por baixo do kimono. (N. T.)

nha mãe. Fui criado no quarto dela, que cheirava a doença e a velhice, sempre fechado; ao lado de sua cama de enferma foi colocada uma cama para mim.

Com quase um ano de idade, caí do terceiro degrau da escada e machuquei a testa. Minha avó tinha ido ao teatro, e os primos de meu pai, assim como minha mãe, divertiam-se ruidosamente, aproveitando a folga. Minha mãe tinha ido buscar alguma coisa no piso de cima. Fui atrás, enredei-me na barra do seu quimono, que se arrastava no chão, e caí.

Ligaram para minha avó no teatro de cabúqui. Quando ela chegou, meu pai foi ao seu encontro. Ela estacou na porta, apoiando o corpo sobre a mão direita, que segurava a bengala. Com o olhar fixo em meu pai e num tom estranhamente calmo, como se moldasse cada palavra, perguntou:

— Morreu?

— Não.

Somente então ela tirou os sapatos e entrou em casa, pisando firme como uma sacerdotisa...

Na manhã do Ano-Novo, pouco antes de completar cinco anos de idade, vomitei alguma coisa avermelhada como café. O médico da família foi chamado. "Não sei se ele vai se recuperar", foram suas palavras. Como se eu fosse uma almofada de alfinetes, aplicaram-me injeções de cânfora e glicose. Durante duas horas não conseguiam sentir meus batimentos cardíacos nem no pulso nem no antebraço. As pessoas contemplavam o meu cadáver.

Providenciaram uma mortalha, trouxeram meus brinquedos prediletos, juntaram toda a família. Depois de cerca de uma hora, viram-me urinar. O irmão de minha mãe, que era médico, disse: "Ele vai viver!". Aquilo, observou, era prova de que o coração estava funcionando. Dali a pouco tornei a urinar. Uma tímida luz de vida ressuscitava em minha face.

A doença — uma autointoxicação — tornou-se crônica. Uma vez por mês ela me visitava — ora de forma branda, ora com gravidade. Não foram poucas as vezes em que o perigo me rondou. Pelo som de seus passos aproximando-se de mim, minha consciência conseguia discernir se a crise me aproximaria da morte ou me manteria distante dela.

Foi mais ou menos nessa época que minha primeira lembrança começou a aflorar, afligindo-me com imagens de estranha nitidez.

Não sei se era minha mãe, uma enfermeira, uma criada ou minha tia quem me levava pela mão. Tampouco sei dizer ao certo qual era a estação do ano. O sol da tarde se projetava palidamente sobre as casas que flanqueavam a ladeira. Eu subia em direção a minha casa levado por essa mulher que não sei quem era. Como vinha descendo alguém, a mulher me puxou com força pela mão, abriu caminho e ficou parada a um lado, esperando que a outra pessoa passasse.

De vez em quando essa imagem voltava, mais intensa, concentrada, e decerto a cada vez acrescida de um novo significado. Isso porque, em meio à cena vaga que a circundava, apenas a figura "daquele que desce a ladeira" emerge com precisão desproporcional. Mas isso tem sua razão de ser: trata-se da primeira das lembranças que me atormentaram e assombraram durante a vida inteira.

Era um jovem quem descia a ladeira em nossa direção, carregando no ombro um jugo do qual pendiam, à frente e atrás, baldes de excremento cujo peso ele distribuía com destreza por seus passos ladeira abaixo. Trazia um pano sujo enrolado em torno da testa. Seu rosto era bonito e corado, e os olhos brilhavam. Era um limpador de fossas, um coletor de excrementos.

Calçava um *tabi** próprio para aquele tipo de serviço e vestia uma calça justa de algodão azul-marinho.

Observei aquela figura com atenção incomum para uma criança de cinco anos. Embora ainda não fosse capaz de percebê-lo com clareza à época, eu havia recebido um chamado misterioso, sombrio, a revelação inicial e alegórica de uma força que se manifestava pela primeira vez na figura daquele limpador de fossas. O excremento é, afinal, um símbolo da terra, e o que me chamava era sem dúvida o amor malevolente da Mãe-Terra.

Pressenti então que neste mundo há um tipo de desejo semelhante à dor pungente. "Quero me transformar nele" foi a vontade que me sufocou ao olhar para aquele rapaz todo sujo: "Quero *ser* ele". Lembro-me com clareza de que havia dois motivos importantes para esse meu desejo. Um deles era sua calça justa azul-marinho; o outro, sua profissão. A primeira delineava com perfeição seu corpo da cintura para baixo, movendo-se com agilidade, parecendo vir em minha direção. Passei a adorar de forma inexplicável essa vestimenta, embora não entendesse por quê.

A profissão... Naquele instante, da mesma maneira como crianças querem ser generais quando começam a se dar conta deste mundo, fui tomado pela ambição de me tornar coletor de excrementos. Poderia dizer que a calça azul-marinho foi talvez uma das causas desse desejo, mas com certeza não foi a única. Com o tempo, essa ambição foi se fortalecendo, tomando conta de mim, atingindo um estágio inusitado de desenvolvimento.

Ou seja, senti em relação àquele trabalho uma tristeza penetrante, algo como um anseio pela dor pungente, capaz de contorcer meu corpo. No trabalho daquele jovem senti

---

* Espécie de meia grossa com dedos, feita de tecido e borracha, usada pelos operários em trabalhos pesados. (N. T.)

"algo trágico", na acepção mais patética da palavra. Uma sensação de "autorrenúncia", indiferença, intimidade com o perigo, uma mistura notável do nada com uma força vital: todas essas sensações transbordavam de mim, esmagando-me com seu peso e me fazendo prisioneiro aos cinco anos de idade. Talvez eu tenha me enganado quanto à função de limpador de fossas. É provável que alguém tenha me contado sobre alguma outra profissão, e eu me confundi devido ao uniforme, mas desejava de todo modo que fosse esse o seu trabalho. Não tenho outra explicação.

O fato é que, mais tarde, esses mesmos sentimentos se transferiram para os condutores de *hana-densha** e os perfuradores de bilhetes de metrô: ambos provocavam-me uma sensação profunda de "vida trágica", algo que eu desconhecia e do qual parecia estar excluído para sempre. Era o que eu sentia sobretudo no caso do perfurador de bilhetes. Naquela época, um odor que lembrava borracha ou hortelã se espalhava pelas estações, fundindo-se com os botões dourados perfilados no uniforme azul, na altura do peito, o que instigava minha mente à rápida associação com o "trágico". Não sei bem por quê, mas para mim eram "trágicas" as pessoas que levavam suas vidas inalando aquele tipo de ar. E meus sentidos ansiavam por aquilo; acima de tudo, as vidas, os casos que se desenrolavam sem nenhuma relação comigo, em lugares que me eram negados, essas pessoas e esses lugares compunham minha definição de "coisas trágicas". Parecia que a mágoa por me sentir eternamente excluído desse contexto sempre se transformava, em sonho, naqueles mesmos trabalhadores e em suas vidas, e que essa mágoa era tudo o que eu podia compartilhar de sua existência.

---

* Trens elétricos decorados com flores artificiais e lanternas de papel, usados em datas comemorativas. (N. T.)

Se era esse o caso, então as "coisas trágicas" das quais eu começava a tomar conhecimento talvez não passassem de sombras, projeções da mágoa provocada pelo fugaz pressentimento de uma exclusão ainda maior.

Tenho outra lembrança dessa minha primeira infância.

Aos seis anos de idade eu sabia ler e escrever. Como, porém, à época dessa lembrança, eu não conseguia entender o que estava escrito no meu livro ilustrado, ela há de ser de quando ainda tinha cinco anos.

Naquela época, eu tinha muitos desses livros, mas minha atenção voltava-se exclusiva e insistentemente para um deles, ou melhor, para uma única ilustração, em cuja página eu sempre o abria. Conseguia passar longas tardes entediantes observando-a. Não sei bem por quê, mas quando alguém se aproximava, eu me sentia incomodado e virava a página depressa. O olhar protetor de uma enfermeira ou criada molestava-me profundamente. Desejava para mim uma vida em que pudesse ficar absorto naquela ilustração o dia inteiro. Meu coração batia forte quando abria aquela página, ao passo que outras não provocavam em mim nenhuma reação.

Tratava-se de uma ilustração que mostrava Joana d'Arc montada num cavalo branco, erguendo uma espada. O cavalo bufava pelas narinas, levantando poeira com as vigorosas patas dianteiras. Havia uma bela insígnia na armadura prateada do cavaleiro. O visor permitia entrever seu rosto formoso; ele brandia valentemente sua espada no céu azul, enfrentando talvez a Morte, ou ao menos a força maligna de algum infortúnio. Eu acreditava que ele seria morto em seguida. Se virasse a página depressa, na certa veria seu assassinato. Deve haver algo nos livros ilustrados que faz com que os desenhos se transformem no "instante seguinte" sem que ninguém perceba.

Certo dia, porém, aconteceu de minha enfermeira abrir o livro na tal figura. Enquanto eu lançava olhares furtivos a seu lado, ela me perguntou:

— O senhor conhece a história da pessoa aqui neste desenho?

— Não, não conheço.

— Parece homem, não é? Pois é uma mulher! É verdade. A história diz que ela se vestiu como homem e foi à guerra para servir seu país.

— Uma mulher...

Sentia-me como se um golpe tivesse me jogado no chão. E eu que acreditava que fosse *ele*, mas era *ela*. Se aquele belo cavaleiro era uma mulher e não um homem, então o que restava? (Ainda hoje sinto arraigada e inexplicável repugnância por mulheres em trajes masculinos.) Pela primeira vez em minha vida, eu deparava com a "vingança da realidade", uma vingança cruel sobretudo em relação a minhas doces fantasias com a morte *dele*. Anos mais tarde, encontraria num verso de Oscar Wilde a glorificação da morte do formoso cavaleiro:

Fair is the knight who lieth slain
Amid the rush and reed...*

A partir de então nunca mais abri o livro. Nem mesmo o pegava nas mãos.

Em seu romance *Là-bas*, Huysmans fala de Gilles de Rais, guarda-costas de Joana d'Arc por ordem do rei Carlos VII: embora logo devesse se transformar "na mais sofisticada das crueldades e

---

* "Belo é o cavaleiro que jaz morto/ Entre os juncos e as espadanas...", em tradução de Oscar Mendes, *Obra completa*, Ed. José Aguillar, 1961. (N. T.)

no mais sutil dos crimes", seu ímpeto místico nutriu-se de início dos vários feitos inacreditáveis de Joana d'Arc, que viu com os próprios olhos. Também no meu caso a donzela de Orléans desempenhou um papel importante, ainda que às avessas (ou seja, de uma maneira um tanto repulsiva).

Mais uma lembrança... O cheiro de suor, um odor que me fazia galopar, despertava meus anseios, me dominava.

Ao aguçar os ouvidos, percebo um som áspero, penoso, turvo, quase inaudível, que chega a amedrontar. Às vezes, uma corneta se mistura a ele, e vozes que cantam, simples, misteriosamente melancólicas, se aproximam. Puxo a mão da criada, vamos, rápido, apressando-a, envolto em seus braços, ansioso por chegar logo ao portão.

Eram as tropas militares que passavam em frente de casa, retornando do treinamento. Soldados gostam de crianças, e eu ficava sempre na expectativa de ganhar deles cartuchos vazios. Mas como minha avó me proibira de aceitá-los, dizendo que eram perigosos, a essa expectativa acrescia-se certa alegria furtiva. A marcha surda das botas pesadas, os uniformes sujos, as armas formando uma floresta sobre os ombros, eram suficientes para fascinar qualquer criança por completo. Porém, o que fazia com que me sentisse daquela maneira, motivando-me veladamente a querer ganhar os cartuchos, era apenas o cheiro do suor dos soldados.

O suor dos soldados — um odor como a brisa do mar, como o ar da orla marítima, torrado da cor do ouro —, aquele cheiro golpeou minhas narinas e me embriagou. Talvez essa tenha sido minha primeira lembrança de um odor. É lógico que não havia aí nenhuma relação direta com prazeres sexuais, mas o cheiro do suor foi aos poucos despertando em mim o anseio tenaz e sensual por coisas como o destino dos soldados, a natureza trágica de sua profissão, suas mortes, os países distantes que veem...

Tais imagens insólitas foram as primeiras coisas com que deparei em minha vida. Desde o início, erguiam-se diante de mim com perfeição magistral. Sem uma única falha. Anos depois, eu procuraria nelas a nascente dos meus atos e sentimentos, e novamente não lhes faltava nada.

Desde a infância, minha concepção de vida jamais divergiu da teoria agostiniana da predeterminação. Não foram poucas as vezes em que dúvidas fúteis me atormentaram, e continuam me atormentando, mas, considerando-as uma espécie de tentação ao pecado, permaneci inabalável em minhas posições determinísticas. Entregaram-me o que poderia chamar de cardápio completo das inquietudes de minha vida antes ainda que eu pudesse lê-lo. Bastava-me pendurar o guardanapo e me sentar à mesa. Até mesmo o fato de que estaria hoje escrevendo um livro inusitado como este já se encontrava ali, devidamente registrado, diante dos meus olhos desde o início.

A infância é um palco onde o tempo e o espaço se emaranham. Por exemplo, as notícias que ouvia dos adultos, falando-me do que acontecia em diversos países — erupção de vulcões, insurreição de tropas rebeladas —, os fatos que aconteciam bem à minha frente, como as crises de minha avó, as pequenas brigas de família, e também as fantasias do mundo dos contos de fada, no qual eu acabara de mergulhar: para mim, essas três coisas tinham o mesmo valor e a mesma natureza. Não achava que esse mundo fosse algo muito mais complicado do que montar blocos de madeira, nem que a chamada "sociedade", à qual teria de me integrar, fosse mais cintilante do que o "mundo" da carochinha. Antes ainda que me apercebesse disso, eu começava a me sentir restringido. E minhas variadas fantasias combatiam tal restrição, resistiam, tingidas desde o início do mais completo e estranho desespero, que mais parecia desejo ardente.

Uma noite, da minha cama, vi toda uma cidade iluminada flutuando do outro lado da escuridão que se estendia à minha volta. Dominava-a uma tranquilidade fora do comum, e, no entanto, ela transbordava de brilho e mistérios. Eu podia ver com clareza a marca secreta que era feita nos rostos das pessoas que a visitavam. Eram adultos que voltavam para casa tarde da noite, retendo de algum modo nas palavras e nos gestos vestígios de uma espécie de código, algo que lembrava a franco-maçonaria. Estampada no rosto exibiam ainda certa fadiga cintilante, que lhes causava embaraço quando encarados de frente. Como ocorria com aquelas máscaras de Natal que deixavam as pontas dos dedos cheias de pó prateado, se eu tocasse seus rostos, achava que descobriria a cor do pigmento com o qual a cidade noturna os havia tingido.

A noite ergueu sua cortina bem diante dos meus olhos. No palco, Shokyokusai Tenkatsu.* (Ela fazia uma de suas raras apresentações num teatro de Shinjuku. Alguns anos mais tarde, naquele mesmo palco, eu assistiria à apresentação do ilusionista Dante. Embora valendo-se de cenário bem mais grandioso, nem ele nem o Circo Hagenbeck, no espetáculo da Exposição das Nações, me surpreenderam tanto quanto meu primeiro encontro com Tenkatsu.)

---

* Considerada a "rainha" das mágicas ocidentais de sua geração (1886-1944). (N. T.)

Ela passeava pelo palco com indolência, sua figura opulenta envolta em trajes semelhantes aos da grande meretriz do livro do Apocalipse. Entregava seu corpo àquelas vestes forjadas, que brilhavam sem discrição, como brilham apenas as coisas baratas; sua maquiagem era tão pesada quanto a de cantoras de baladas, com pó de arroz até a ponta da unha do pé; e ela usava braceletes ostentosos, cobertos de pedras falsas. Curiosamente, tudo isso criava uma harmonia melancólica com sua altivez, seu ar de importância tão característico de ilusionistas quanto de nobres exilados, sua simpatia sombria, seu jeito de heroína. Ou melhor, a fina textura da sombra que a desarmonia projetava é que provocava a sensação única de harmonia.

Compreendi, embora vagamente, que a vontade de "tornar-me Tenkatsu" e a de "tornar-me condutor de *hana-densha*" diferiam em essência. A diferença mais notável era a sede pelo "trágico" que faltava à primeira quase por completo. Ao querer tornar-me Tenkatsu não precisaria degustar a enervante mistura de desejo e culpa. Mesmo assim, lutando por conter as batidas do meu coração, certo dia entrei às escondidas no quarto de minha mãe e abri a cômoda que guardava suas roupas.

Tirei da gaveta o quimono mais vistoso, de estampa e cores chamativas. Peguei um *obi** com rosas escarlates pintadas a óleo e, como um paxá turco, enrolei-o várias vezes em torno da cintura. Envolvi a cabeça com um *furoshiki*** de crepe. Postado diante do espelho, corei de alegria, uma alegria desvairada, por julgar a faixa que improvisara parecida com as dos piratas de A *ilha do tesouro*. Mas ainda havia muito o que fazer. Cada gesto, cada movimento, até a ponta dos dedos e das unhas, deveria estar à altura de dar à luz o mistério. Enfiei um espelho de mão no *obi*

---

* Cinto, faixa. (N. T.)
** Lenço. (N. T.)

e passei uma fina camada de pó no rosto. Em seguida, peguei uma lanterna portátil prateada, uma caneta-tinteiro antiga com gravações em dourado — tudo, enfim, que fosse diferente e me ofuscasse a vista com seu brilho.

Vestido dessa maneira, saí em direção à sala de estar de minha avó, assumindo um ar solene. Incapaz de conter riso e alegria frenéticos, corri pelo recinto dizendo:

— Sou Tenkatsu! Eu, eu sou Tenkatsu!

Ali se encontravam minha avó, acamada, minha mãe, uma certa visita e uma criada designada para cuidar da enferma. Eu não enxergava ninguém à minha frente. Todo o meu frenesi se concentrava no fato de estar apresentando a muitas pessoas minha versão de Tenkatsu, ou seja, só conseguia enxergar a mim mesmo. Mas, sem querer, meus olhos focalizaram o rosto de minha mãe. Estava um pouco pálida, sentada distraidamente, com o pensamento longe. Quando nossos olhares se cruzaram, ela baixou os olhos.

Compreendi. Lágrimas turvaram minha vista.

O que eu havia entendido naquele momento, ou fora obrigado a entender? Será que o "remorso como prelúdio ao pecado", o leitmotiv dos anos posteriores, começava a despontar? Ou será que compreendi como o isolamento parece grotesco aos olhos do amor, ao mesmo tempo que aprendia o avesso da lição: minha própria incapacidade de aceitar o amor?

A criada me agarrou. Levou-me para outra sala e, como se eu fosse uma galinha pronta para ser depenada, despiu-me da fantasia ultrajante num piscar de olhos.

Essa paixão por fantasiar-me ficou ainda mais forte quando comecei a ir ao cinema. E persistiu de forma marcante até os meus dez anos de idade.

Certa vez, na companhia do estudante que morava em casa, fui ver a versão em filme da opereta *Fra Diavolo*. Não conseguia me esquecer do traje da personagem principal: era uma roupa usada nos palácios, de cujos punhos saíam longas rendas esvoaçantes. Quero me vestir daquele jeito, quero uma peruca igual àquela... Ao ouvir-me, o estudante soltou uma risada de escárnio. Bem sabia eu que, no quarto das criadas, ele as divertia com imitações da princesa Yaegaki.*

Cleópatra foi quem me fascinou depois de Tenkatsu. Num dia de neve, no final do ano, meu médico mais camarada cedeu às minhas súplicas e me levou para ver um filme sobre ela. Nessa época do ano havia poucas pessoas no cinema. O doutor pôs os pés sobre a balaustrada e acabou dormindo. Sem companhia, eu assistia a tudo com olhos ávidos, encantados. A rainha do Egito entrando em Roma, carregada por uma multidão de escravos numa liteira antiga. Seu olhar era melancólico, com as pálpebras inteiramente pintadas. Os trajes sublimes que usava... E depois, seu corpo seminu, cor de âmbar, surgindo de dentro de um tapete persa...

Então, longe dos olhos de avós e pais (eu já tinha provado o prazer do pecado), mas tendo minha irmã e meu irmão mais novos como plateia, dediquei-me por completo à caracterização de minha Cleópatra. O que esperava, vestindo-me de mulher? Mais tarde, descobriria em Heliogábalo — imperador da Roma já em declínio, destruidor de deuses antigos, monarca bestial e decadente — as mesmas expectativas que eu acalentava.

Acabo de expor aqui dois tipos de introito. É necessário relembrá-los. O primeiro compõe-se do coletor de excrementos,

---

* Heroína de uma peça de cabúqui. (N. T.)

da donzela de Orléans e do cheiro de suor dos soldados. O segundo se refere a Shokiyokusai Tenkatsu e Cleópatra.

Há ainda um terceiro a ser relatado.

Na minha infância eu lia todo tipo de conto de fadas que me caísse nas mãos, mas não gostava das princesas. Só gostava dos príncipes. E sobretudo daqueles que eram assassinados, ou aos quais o destino reservava a morte. Amava todos os jovens que eram mortos.

Ainda assim, não conseguia compreender por quê, dentre tantos contos infantis de Andersen, apenas aquele belo rapaz de "O elfo das rosas" — apunhalado e decapitado pelo vilão com uma faca enorme, enquanto beijava a rosa que ganhara como lembrança da amada — cobrira meu coração de sombras densas. Por que será que, dos inúmeros contos de Wilde, só me cativara o cadáver do jovem de "O pescador e sua alma", atirado à praia ainda abraçado a uma sereia?

É claro que também gostava muito de coisas infantis de fato. Era apaixonado por "O rouxinol", de Andersen, e divertia-me com histórias em quadrinhos. Mas não conseguia coibir em mim a atração pela morte, pela noite e pelo sangue.

Visões de "príncipes assassinados" me perseguiam com obstinação. Quem poderia explicar o prazer que sentia em fantasiar, associando aqueles corpos delineados por calças justas e as mortes cruéis? Há um conto infantil húngaro que talvez possa servir de exemplo. Suas ilustrações de extremo realismo fizeram-me prisioneiro por um longo tempo.

O príncipe vestia uma calça justa preta, túnica cor-de-rosa com bordado em fios de ouro no peito e uma capa azul-escuro esvoaçante que mostrava um forro escarlate. Em volta da cintura, tinha um cinto verde e dourado. Estava armado com um elmo verde-ouro, uma espada carmesim e uma aljava de couro também verde. Sua mão esquerda, envolta por luva de couro branco, segurava o arco, e a direita se apoiava num galho de uma das árvores centenárias da floresta. Com um semblante grave, viril, olhava para baixo, em direção à boca assustadora de um dragão prestes a atacá-lo. No rosto, estampava sua determinação de morrer. Se o destino daquele príncipe fosse vencer o embate contra o dragão, que frágil seria o fascínio que provocaria em mim! Mas, felizmente, estava fadado a morrer.

Era uma pena, porém, que não fosse uma morte perfeita. A fim de salvar a irmã e casar-se com uma bela princesa-fada, ele teria de passar por sete provações da morte e delas escapar ileso; mas graças ao poder mágico de um diamante que levava na boca, sete vezes ele ressuscitou, alcançando a felicidade da vitória.

A ilustração à direita mostrava cenas de pouco antes da primeira morte: aquela em que seria engolido pelo dragão. Em seguida "foi pego por uma enorme aranha, cujas picadas venenosas cobriram o corpo inteiro do príncipe, que foi então devorado com avidez". Morreria também afogado, queimado pelo fogo, picado por abelhas e cobras, jogado num buraco repleto de grandes e incontáveis lanças afiadas, fincadas no solo com as pontas para cima, e esmagado por pedras enormes que caíam sem parar, "como uma chuva torrencial".

A cena em que foi devorado e morto pelo dragão era descrita em minúcias: "Sem perder tempo, o dragão mastigou o corpo do príncipe com avidez, fazendo picadinho dele. Era uma dor insuportável, mas, reunindo toda a sua força, ele aguentou firme e, já todo triturado, recompôs-se de repente e saiu com agilidade de dentro da boca do predador. Não se via um só arranhão em seu corpo. O dragão caiu por terra e morreu".

Li esse trecho centenas de vezes. Contudo, a frase "não se via um só arranhão em seu corpo" parecia-me uma imperfeição que não poderia passar despercebida. Toda vez que a lia, sentia-me traído pelo autor, que eu julgava ter cometido um grave erro.

Mais tarde, acabei fazendo uma descoberta. Se lesse aquela passagem tampando com a mão o trecho desde "recompôs-se" até "O dragão", então o conto revelaria sua face ideal. Ficaria da seguinte maneira: "Sem perder tempo, o dragão mastigou o corpo do príncipe com avidez, fazendo picadinho dele. Era uma dor insuportável, mas, reunindo toda a sua força, ele aguentou firme e, já todo triturado, caiu por terra e morreu".

Será que os adultos veriam algum absurdo naquela forma de ler, omitindo partes? Mas aquele censor-menino, arrogante, deixando-se levar facilmente pela parcialidade de suas preferências, mesmo discernindo a clara contradição entre "já todo triturado" e "caiu por terra", não pôde descartar nenhuma das duas frases.

Por outro lado, sentia prazer em imaginar situações em que eu próprio era morto em guerras ou assassinado. Apesar disso, o medo que sentia da morte era algo muito mais forte do que o normal.

Depois de ter provocado a criada até o pranto, eu a via servindo o café da manhã do dia seguinte com um alegre sorriso nos lábios, como se nada tivesse acontecido, e pensava comigo que aquela atitude havia de ter múltiplos significados malignos. Só podia ser um sorriso diabólico, resultante da certeza da vitória. A fim de se vingar de mim, era provável que ela estivesse planejando envenenar-me. Meu coração parecia sair pela boca de tanto medo. Sem dúvida, ela havia posto veneno em minha sopa de missô. E nas manhãs em que cismava com isso, nem tocava na tigela. Quantas não foram as vezes em que me levantava da mesa ao término das refeições e a encarava como se dissesse: "Viu, só?!". Para mim, ela parecia prostrada do outro lado da mesa, decepcionada por seu plano ter falhado e observando quanto sobrara da sopa já fria, em cuja superfície flutuavam até mesmo alguns grãos de poeira.

Preocupada com minha saúde frágil, e para evitar que eu aprendesse coisas ruins, minha avó me proibiu de brincar com os meninos da vizinhança. Fora as criadas e enfermeiras, minhas únicas companheiras eram três meninas das redondezas que ela própria escolhera. Todo tipo de som ou vibração mais intensa — um ruído qualquer, abrir ou fechar portas com força, uma corneta de brinquedo, lutar sumô — provocava nevralgia no joelho direito de minha avó. Por isso tínhamos de brincar em silêncio, ainda mais quietos do que já o fazem em geral as meninas. Eu, porém, preferia os livros, montar blocos de madeira, entregar-me aos caprichos da minha imaginação, desenhar sozinho. Depois, quando meu irmão e minha irmã nasceram, ficaram ambos sob os cuidados de meu pai (ao contrário de mim, não foram entregues aos braços de minha avó), e puderam crescer com liberdade, como toda criança deve ser criada; e, no entanto, não senti inveja dessa liberdade, da algazarra que faziam.

Quando visitava minhas primas, porém, a situação era outra. Exigiam até de mim que me comportasse como um "menino". No início da primavera do ano em que completei sete anos de idade, já quase à época de meu ingresso na escola primária, aconteceu algo memorável na casa de uma dessas primas, que chamarei de Suguiko. Minha avó, que me levara junto, enaltecida pelas adulações incansáveis da tia-avó e de outros — "Como ele cresceu! Está enorme!" —, permitiu em caráter excepcional que eu me servisse da refeição posta à mesa. Até então, temendo minhas crises frequentes de autointoxicação, já mencionadas anteriormente, ela me proibia de comer peixes de "pele azulada".

Aliás, eu só conhecia os de carne branca, como o linguado, o *turbot* e o pargo. Batatas, somente amassadas, passadas na peneira. Doces de feijão não podia comer, só biscoitos leves, *wafers*, apenas doces mais secos. Frutas para mim significavam maçãs cortadas em fatias finas ou uma pequena porção de tangerina. Por isso devorei com prazer enorme o olho-de-boi, o primeiro peixe de "pele azulada" que punha na boca. Seu sabor agradável representava para mim o primeiro reconhecimento de um direito de adulto, e toda vez que o reencontro não posso deixar de sentir na ponta da língua o travo um tanto amargo de uma insegurança desconcertante: a de crescer.

Suguiko era uma criança saudável, cheia de vida. Quando pousava em sua casa, dormíamos no mesmo quarto, em camas emparelhadas. Ela pegava logo no sono, assim que encostava a cabeça no travesseiro, feito uma máquina. E eu, que levava um bom tempo para pregar os olhos, a observava com uma ponta de inveja e admiração. Na sua casa eu era muito mais livre do que na minha. Como os inimigos hipotéticos de minha avó, aqueles que me roubariam dela — ou seja, meus pais —, não estavam lá, ela ficava mais despreocupada e me deixava em paz. Não havia necessidade de manter-me sempre ao alcance dos olhos, como em casa.

Eu, porém, não conseguia tirar tanto proveito dessa liberdade. Mais parecia um enfermo, dando os primeiros passos após a convalescença; sentia certa rigidez, como se me forçassem a um dever impalpável. Faltava-me o meu leito de ócio. E ali naquela casa, sem que ninguém dissesse ou mencionasse coisa alguma, cobravam-me que fosse um menino. Era o início de uma representação que não me agradava. Foi a partir dessa época que comecei a compreender vagamente o mecanismo segundo o qual o que parecia ser uma representação aos olhos das pessoas era para mim expressão da necessidade de retornar a minha própria essência, ao passo que o que parecia a todos o meu jeito natural de ser era, na realidade, uma encenação.

Foi essa representação indesejada que me fez dizer: "Vamos brincar de guerra". Minhas companheiras eram duas meninas, Suguiko e uma outra prima; portanto, brincar de guerra não era algo adequado, e tampouco as amazonas demonstravam empolgação. Minha sugestão decorria também de uma obrigação social às avessas: eu achava que me cabia pôr as meninas em apuros, sem lhes fazer qualquer concessão.

Embora nos entediássemos com a desajeitada batalha, continuamos a brincar dentro e fora daquela casa sombria. Por detrás de um arbusto, Suguiko imitava o som de uma metralhadora:

— Ra-tá-tá-tá-tá!

Achei que já estava na hora de pôr um fim àquilo. Então, refugiei-me dentro da casa e, ao ver as meninas-soldados me perseguindo com uma rajada de *ra-tá-tá-tá-tá*, levei a mão ao peito e desabei no meio da sala.

— Koo, o que foi, Koo? — elas aproximaram seus rostos do meu.

Sem abrir os olhos nem mexer as mãos, respondi:

— Estou morrendo no campo de batalha, oras...

Sentia alegria ao imaginar-me ali caído, contorcendo-me todo. O estado em que me encontrava — baleado e definhando — proporcionava-me prazer indizível. Ainda que tivesse sido atingido por uma bala de verdade, para mim não haveria dor...

Minha infância...

Deparo com uma cena que parece simbolizar essa época. Hoje, posso dizer que ela representa minha infância. Ao vê-la, senti a mão da despedida, meus dias de menino se apartando de mim. Pressenti então que todo o meu tempo interior, subjetivo, jorraria de mim, ficaria represado numa reprodução daquela cena, imitando com exatidão personagens, atos e sons ali presentes e, finalizada a réplica, a cena original se dissolveria; restaria apenas uma cópia, nada menos que minha infância acuradamente empalhada. Sem dúvida, todos vivem uma experiência semelhante em seus tempos de criança. Mas como em geral isso acontece de forma discreta, a ponto de nem ser considerado propriamente uma experiência, é comum que passe despercebido.

Certa vez, um grupo que participava das festividades de verão entrou portão adentro por nosso jardim com a força de uma avalanche. Minha avó, alegando seu problema na perna e também por causa do neto — ou seja, por minha causa —, persuadira os organizadores a fazer a procissão do bairro passar em frente a nossa casa. A rua, na verdade, não estava incluída no percurso original, mas graças à mãozinha do responsável, todos os anos faziam-se pequenos desvios, e a passagem por nossa casa acabou por se tornar um costume.

Eu estava em pé, com meus familiares, diante do portão de ferro, que, ornado com folhas de parreira, abria-se para ambos os lados; a calçada logo adiante estava molhada e limpa. O som hesitante dos tambores se aproximava. Pouco depois, a lamuriosa melodia de *kiyari-uta*,* cuja letra chegava entrecortada a nossos ouvidos, atravessando a desordem ruidosa do festival, veio anunciar o que pode ser considerado o verdadeiro motivo daquela algazarra aparentemente vazia de sentido. Parecia lamentar a triste e vulgar associação entre os humanos e a eternidade, a qual só poderia se consumar por meio de certa imoralidade devota. No emaranhado daquela massa de sons, eu aos poucos conseguia distinguir o tinir metálico dos sinos

---

* Tipo de canção popular cantada, por exemplo, quando do transporte de madeiras ou pedras pesadas, como se desse um ritmo ao trabalho. (N. T.)

pendurados no bastão empunhado pelo sacerdote que encabeçava a procissão, o rufar intermitente dos tambores, uma mistura das vozes ritmadas daqueles cujas mãos carregavam o santuário sagrado. Meu coração batia tão forte que eu sentia falta de ar, mal podia me manter em pé (a partir dessa época, toda expectativa mais intensa passou a se traduzir para mim antes em sofrimento do que em alegria).

O sacerdote que segurava o bastão usava uma máscara de raposa. Os olhos dourados daquela fera mística se fixaram em mim, como se fossem me enfeitiçar, e, quando me dei conta, estava agarrando a barra da saia de alguém ao meu lado. A procissão que desfilava diante de meus olhos suscitava-me uma alegria próxima do medo, e eu me vi prestes a fugir na primeira oportunidade. A partir de então, essa foi a atitude com a qual passei a enfrentar a vida. Nada posso fazer diante das coisas aguardadas com muita ansiedade, daquelas adornadas em demasia pelos devaneios da expectativa, senão fugir.

Em seguida passou o *jicho*,* carregando a urna de oferendas enfeitada com o *shimenawa*, o cordão sagrado que impede a entrada de impurezas em lugares santos. E, depois de um pequeno santuário saltitando frivolamente nos ombros de um grupo de crianças, aproximou-se o majestoso *omikoshi* em preto e dourado, o principal santuário da procissão. Mesmo de certa distância já se avistava a fênix no topo, balançando radiante de um lado para o outro, como um pássaro que flutua ao sabor das ondas, ao som ritmado dos gritos daqueles que o traziam. Aquela visão provocou em mim uma assombrada inquietude. Apenas ao seu redor pairava uma calmaria maligna, como os ares dos trópicos. Parecia uma morosidade maldosa, agitando-se calidamente so-

---

* Empregado que não possui um cargo específico: faz o que lhe for mandado. (N. T.)

bre os ombros nus dos jovens. Por trás das grossas cordas vermelhas e brancas, da cerca de tábuas laqueada de preto e dourado, da porta folheada a ouro e hermeticamente fechada, escondia-se uma escuridão de pouco mais de um metro cúbico, de um negrume total. E essa noite esvaziada, do formato de um cubo perfeito, reinava aos saltos, para cima, para baixo, para os lados, sob o céu aberto e sem uma única nuvem de um dia do início do verão, quando o sol ia alto.

O *omikoshi* estava bem diante de nossos olhos. Os jovens, vestidos com o mesmo tipo de *yukata*,* que revelava seus corpos quase por inteiro, agitavam-no sem cessar, como se o próprio santuário cambaleasse embriagado. Pernas embaraçavam-se, os olhos não pareciam enxergar coisas deste mundo. Um rapaz, carregando um enorme leque, corria ao redor do grupo e o incitava com gritos maravilhosamente estridentes. Às vezes, o *omikoshi* pendia vacilante para um lado. E então, mais uma vez, brados ensandecidos o reerguiam.

De repente — talvez porque os adultos de casa percebessem a intenção do grupo, que, embora parecesse se comportar da mesma maneira que minutos antes, era agora movido por alguma força —, fui puxado para trás pela mão que segurava. "Cuidado!", gritou alguém. Depois disso, não sei dizer o que aconteceu. Levado pela mão, fugi correndo pelo jardim da frente e me joguei para dentro de casa pela porta principal. Acompanhado, subi voando para o piso de cima. Da sacada, prendendo a respiração, vi o momento exato em que aquele emaranhado negro invadiu o jardim da casa carregando o santuário.

Que força os levara a agir daquele modo? Por um bom tempo, pensei numa resposta para isso. Mas não a tenho ainda. Co-

---

* Tipo de quimono feito de algodão, mais informal, leve, usado no verão. (N. T.)

mo aquelas dezenas de jovens puderam, a um só tempo e de forma premeditada, precipitar-se portão adentro?

Pisotearam as plantas com prazer. Foi um verdadeiro festival. Aquele jardim, que já não me suscitava nenhum interesse, transformou-se num mundo desconhecido. Agitando o santuário nos ombros, desfilaram por cada centímetro dele, ouviam-se os estalos dos arbustos sendo quebrados e esmagados. Eu não conseguia entender o que estava acontecendo. Os sons se anulavam, como se um silêncio congelado e estrondos sem sentido chegassem a mim numa grande mistura. O mesmo acontecia com as cores — dourado, vermelho, roxo, verde, amarelo, azul-marinho, branco —, todas pulsavam, fervilhavam, como se uma única cor dominasse tudo, ora o dourado, ora o vermelho. Uma só coisa, muito clara, abriu meus olhos, afligindo-me e enchendo meu coração de inexplicável agonia. Era a fisionomia daqueles que carregavam o santuário: a mais obscena e descarada expressão de embriaguez já vista neste mundo.

2.

Fazia mais de um ano que eu sofria o tormento de ser uma criança provida de um curioso brinquedo. Tinha treze anos de idade.

O brinquedo aumentava de volume à menor oportunidade, sugerindo que, dependendo de como eu o utilizasse, poderia ser algo muito prazeroso. Mas em nenhuma parte se viam escritas instruções de uso, e por isso, quando ele tomava a iniciativa de brincar comigo, era inevitável que eu não soubesse o que fazer. Às vezes, minha humilhação e impaciência eram tamanhas que chegava a ponto de querer machucá-lo. No fim, porém, rendia-me ao brinquedo insubordinado, com seu aspecto de doce segredo, e nada podia fazer a não ser observar passivamente o que lhe acontecia.

Resolvi então atentar para suas inclinações com mais imparcialidade. E ao observá-lo desse modo, percebi que o brinquedo já possuía um gosto definido e inconfundível, ou seja, obedecia à sua própria ordem. A natureza desse gosto combinava lembranças interligadas e acrescidas às de minha infância:

jovens com seus corpos à mostra vistos em praias no verão, nadadores na piscina dos jardins externos do Santuário Meiji, o rapaz moreno que se casara com minha prima, heróis valentes de várias histórias de aventuras. Até aquele momento, eu misturava indiscriminadamente esse tipo de gosto com outro, estético, de natureza poética.

Como era de esperar, o brinquedo também levantava sua cabeça em direção à morte, às poças de sangue e à carne rígida. Ao ver cenas de batalhas sangrentas nos frontispícios das revistas de histórias de aventuras que eu, em segredo, pegava emprestado do estudante que morava em casa — desenhos de jovens samurais rasgando seus ventres; soldados baleados cerrando os dentes de dor, com as mãos gotejando sangue, agarradas ao uniforme na altura do peito; fotos de lutadores de sumô de terceira categoria, ainda não tão gordos, com os corpos firmes —, meu brinquedo logo erguia sua cabeça curiosa. Se o adjetivo "curiosa" não for apropriado, pode-se substituí-lo por "amorosa" ou "desejosa".

Tendo descoberto o que me dava prazer, aos poucos comecei a agir de forma consciente e metódica. Fazia minha escolha e, então, pensava nos meios de atingi-la. Se achava que a composição das ilustrações nos frontispícios das revistas de aventuras estava imperfeita, primeiro as copiava com lápis de cor, depois fazia as correções necessárias. O desenho de um jovem artista de circo, por exemplo, caído sobre os joelhos, agarrando-se à ferida de bala no peito; ou o equilibrista que caíra de sua corda, rachara o crânio e agora jazia com metade do rosto encharcada de sangue. Quando estava na escola, o medo de que aquelas figuras, cheias de uma crueldade desumana, fossem descobertas dentro da gaveta da estante de casa não me permitia distinguir uma só palavra do que o professor dizia. Devido ao apego que meu brinquedo sentia por elas, eu não conseguia rasgá-las e jogá-las fora logo depois de as ter desenhado.

E assim meu insubordinado brinquedo passou dias, meses em vão, sem saber como alcançar até mesmo seu objetivo secundário — que chamarei de "mau hábito" —, que dirá então o objetivo primordial.

Várias mudanças ocorriam à minha volta. A família se dividiu em duas e se mudou da casa onde eu nascera. Fomos morar em outro bairro, em duas casas distantes nem meio quarteirão uma da outra. Numa delas, morávamos eu e meus avós; na outra, meus pais, minha irmãzinha e meu irmãozinho: formávamos famílias distintas. Nessa época, meu pai precisou viajar ao exterior a serviço, e voltou depois de haver percorrido diversos países da Europa. Logo em seguida, meus pais se mudaram de novo. Foi nessa ocasião que meu pai enfim tomou a tardia decisão de reclamar de volta a minha guarda. Assim sendo, depois de passar por uma cena de despedida com minha avó, chamada de "melodrama moderno" por meu pai, também me mudei para o endereço novo. Agora, eu estava a algumas estações de trem, e a umas poucas paradas do bonde, de distância da casa de meus avós. Dia e noite minha avó chorava abraçada à minha fotografia, e se por acaso eu não cumprisse o trato de ir pousar lá uma vez por semana, ela logo tinha uma de suas crises. Com treze anos de idade, eu tinha uma namorada de sessenta, profundamente apaixonada.

Depois de um tempo meu pai foi transferido para Osaka e se mudou sozinho para lá.

Certo dia, aproveitando-me de que me impedissem de ir à escola por causa de um início de gripe, levei para meu quarto alguns volumes da coleção de reproduções de arte que meu pai trouxera de suas viagens ao exterior, e ali me pus a observá-las com atenção. Senti-me atraído em especial pelas fotos de esculturas gregas que apareciam nos guias de museus de arte italianos. Em se tratando de reproduções de nus, mesmo das obras mais famosas, eu preferia aquelas em preto e branco. Talvez pela simples razão de que as tornava mais realistas.

Era a primeira vez que via aquele tipo de livro.

Sovina, e temendo que mãos infantis os sujassem, meu pai guardava aqueles volumes no fundo de um armário (também porque receava — que erro grosseiro! — que eu me sentisse atraído pelo nu feminino das obras-primas). Por outro lado, eu mesmo não esperava que eles fossem me cativar como as ilustrações nos frontispícios daquelas revistas de histórias de aventuras.

Abri uma página no final do livro. De um canto, surgiu então uma pintura que senti estar lá só por minha causa, me esperando: não conseguia pensar em outra explicação. Era uma reprodução do "São Sebastião", de Guido Reni, do acervo do Palazzo Rosso de Gênova.

Sua cruz era um tronco negro e algo inclinado de árvore, tendo ao fundo uma floresta sombria e, ao longe, um céu acinzentado de fim de tarde, ao estilo de Ticiano. Um jovem de beleza excepcional estava ali amarrado, nu. Suas mãos encontravam-se cruzadas no alto, e os punhos, presos à árvore por cordas. Não se viam outros nós a atá-lo, apenas um grosseiro pano branco pendia frouxamente em torno da cintura, cobrindo sua nudez.

Supus que fosse uma pintura de um mártir cristão. Mas aquela morte de são Sebastião, pintada por um esteta da eclética escola que se firmou no final do Renascimento, exalava um forte odor de paganismo. Isso porque o seu físico — que podia ser comparado ao de Antínoo, o favorito do imperador Adriano — não mostrava vestígios do sofrimento ou da decrepitude comuns aos missionários, características visíveis em pinturas de outros santos. Exibia, ao contrário, juventude, luz, beleza e prazer.

Sua nudez alva, incomparável, cintilava contra a escuridão ao fundo. Os braços fortes de soldado pretoriano, acostumados a puxar o arco e a manejar a espada, apresentavam-se suspensos num ângulo que não os forçava muito; e, bem acima da cabeça, os punhos estavam cruzados e atados. O rosto voltava-se levemente para o alto, e os olhos, contemplando a glória dos céus, arregalavam-se em profunda tranquilidade. Não era dor o que rondava aquele peito projetado, o ventre contraído, os quadris algo contorcidos, e sim um lânguido meneio de prazer, como música. Não fosse pelas flechas fincadas na axila esquerda e do lado direito do corpo, mais pareceria um atleta romano em repouso, apoiado a uma árvore num jardim sombrio.

As setas rompiam a carne rígida, fragrante, jovem e, por dentro, seu corpo estava prestes a ser consumido por chamas de agonia e êxtase supremos. Mas não havia sangue vertido, nem aquela chuva de flechas vista em outras pinturas de são Sebastião. Apenas duas projetavam suas calmas e graciosas sombras sobre a pele de mármore, como ramos de árvore que pendem sobre escadarias de pedra.

Todos esses juízos e observações, porém, vieram mais tarde.

Naquele dia, ao olhar para a pintura, todo o meu ser estremeceu, movido por certa alegria pagã. O sangue disparou, meu órgão ficou da cor da fúria. Aquela parte de mim que crescera, que parecia prestes a explodir, aguardava com ansiedade inaudita que eu tomasse alguma providência; repreendendo-me por minha ignorância, ofegava enraivecida. Inconscientemente, minhas mãos começaram a fazer movimentos que ninguém jamais lhes havia ensinado. Senti que algo oculto e radiante subia de dentro de mim a passos alados, pronto para o ataque. E enquanto eu devaneava, jorrou, trazendo consigo uma embriaguez estonteante...

Passado algum tempo, olhei condoído para a escrivaninha à minha frente. Um bordo à janela lançava reflexos brilhantes sobre meu tinteiro, sobre os livros didáticos, o dicionário, o volume de pinturas, meus cadernos. Havia borrifos de um branco fosco sobre o título em dourado de um dos livros didáticos, na saliência do tinteiro, num canto do dicionário. Alguns desses objetos gotejavam preguiçosos, lentos; outros brilhavam insensíveis, como olhos de peixe morto. Por sorte, graças a um movimento involuntário da minha mão, o volume de reproduções saíra ileso da sujeira.

Foi minha primeira ejaculação, e também o início do desajeitado e impremeditado "mau hábito".

(Para mim, tratou-se de uma curiosa coincidência o fato de Hirschfeld ter mencionado que, dentre as pinturas e esculturas prediletas de invertidos, as que retratam são Sebastião figuram em primeiro lugar. Essa observação nos faz supor com facilidade que, na maioria dos casos, os impulsos invertidos e os sádicos estejam ligados de modo inextrincável, em especial quando se fala em inversão congênita.)

Diz a tradição que são Sebastião nasceu em meados do século III, tornou-se capitão da Guarda Pretoriana de Roma e teve no martírio o desfecho de sua curta vida de trinta e poucos anos. Teria morrido no ano de 288, durante o governo do imperador Diocleciano. Este último, homem que percorrera árduos caminhos e cuja ascensão ao poder se devia apenas a seus próprios méritos, era admirado por sua peculiar benevolência, ao contrário do vice-imperador, Maximiano, que, com sua repulsa pelo cristianismo, condenou o jovem Maximiliano à pena de morte por ter ele, em nome do pacifismo cristão, se recusado a cumprir uma ordem. Pela mesma fidelidade religiosa, também o centurião Marcelo foi executado. É desse modo que a história nos dá a compreender o martírio de são Sebastião. O capitão da Guarda Pretoriana se converteu ao cristianismo em segredo e consolava seus irmãos de fé que estavam presos, tendo convencido o prefeito e várias outras pessoas a abraçar a sua religião. Descobertas, porém, tais atividades, ele foi condenado à morte por Diocleciano. Uma piedosa viúva que viera enterrar-lhe o corpo abandonado, alvejado por incontáveis flechas, descobriu que o sangue ainda corria em suas veias. Seus cuidados o fizeram retornar à vida. Mas ele logo desafiou o imperador, injuriando seus deuses, e, dessa vez, foi espancado até a morte com pauladas.

O tema da ressurreição só pode ter sido introduzido nessa lenda em resposta à demanda por "milagres". Como poderia um ser humano voltar à vida depois de ter sido atingido por infinitas flechadas?

Para que minha alegria sensual e cruel, bem como sua natureza, seja compreendida com mais profundidade, cito o seguinte poema em prosa, que escrevi anos depois e jamais finalizei:

São Sebastião — Poema em prosa

Certo dia, avistei da janela da sala de aula uma árvore não muito alta que balançava ao sabor do vento. À medida que a observava, meu peito ia se inquietando. Era uma árvore belíssima. Erguia-se sobre a relva como um perfeito triângulo arredondado; os diversos galhos, que se estendiam em simetria, como um candelabro, sustentavam folhas verdes e aparentemente pesadas, e sob a folhagem mostrava-se um tronco inabalável, feito um carrancudo pedestal de ébano. A árvore ostentava perfeição, primor, mas sem perder o ar de desleixo gracioso, o jeito sem apuros que a Natureza lhe havia conferido. Como se tivesse sido ela própria o seu criador, estava lá, em pé, guardando um silêncio de contentamento. Ao mesmo tempo, porém, com certeza era obra da criação. Talvez uma composição musical. Uma peça de câmara composta por um mestre alemão. Música que poderia ser chamada de sacra, por proporcionar um prazer religioso, tranquilo, repleta da solenidade e dos anseios encontráveis apenas nos motivos de nobres tapeçarias...

A semelhança entre o formato da árvore e a música tinha sentido para mim. Uniam-se em algo muito mais forte e profundo. Não admira que, assaltando-me em conjunto, me proporcionassem emoção indizível e misteriosa, aparentada não ao lirismo, mas àquela sombria embriaguez presente quando religião e música se entrelaçam.

"Não foi essa a árvore?", perguntei-me de repente. "Aquela em que o jovem santo foi amarrado com as mãos para trás, em cujo tronco seu sangue puro verteu como gotículas após a chuva? A árvore romana em que se contorceu, contra a qual raspou com aspereza sua jovem carne, ardendo em agonia (evidência última, talvez, dos prazeres e das dores terreais)?" Contam os anais do martírio que, nos anos seguintes à posse de Diocleciano, quando ele sonhava com o poder sem limites, desobstruído como o voo de um pássaro por céu aberto, um jovem capitão da Guarda Pretoriana foi acusado e preso por ter adorado um deus proibido. Seu corpo maleável lembrava o de um famoso escravo do Oriente por quem o imperador Adriano se apaixonara, e seu olhar era tal qual o de um conspirador, despido de emoções feito o mar. Era de uma arrogância encantadora. Levava no elmo um lírio branco, oferecido todas as manhãs pelas donzelas da cidade. Enquanto descansava de intensos treinamentos, a flor acompanhava as curvas de seus cabelos viris, e a forma graciosa como pendia lembrava a nuca de um cisne.

Não havia uma só pessoa que soubesse seu local de nascimento, de onde viera. Mas todos pressentiam algo. Que aquele jovem com físico de escravo e feições de príncipe estava ali de passagem. Que aquele Endimião era um pastor de ovelhas. Que ele, mais do que ninguém, fora escolhido como guardador de rebanhos do mais verde dos pastos, de que não havia igual.

Por outro lado, algumas donzelas acalentavam a certeza de que ele viera do mar. Porque de seu peito podia-se ouvir o bramido das ondas. Porque em seus olhos pairava o horizonte misterioso e inextinguível que o oceano deixa como lembrança no fundo das pupilas daqueles que nasceram na costa e de lá precisaram partir. Porque seu hálito era quente como a brisa do mar no auge do verão, e exalava o odor das algas lançadas à praia.

A beleza que exibia Sebastião, o jovem capitão da Guarda Pretoriana, não estaria destinada à morte? E as robustas mulheres de Roma, com seus cinco sentidos aguçados pelo sabor da boa bebida, de estremecer os ossos, e pelo gosto da carne gotejante de sangue, não teriam elas logo percebido seu malfadado destino, que ele próprio ignorava, não o teriam amado por causa disso? O sangue corria no interior daquele corpo alvo com fúria e velocidade ainda maiores, espreitando a fenda por onde jorraria tão logo dilacerada a carne. Como poderiam as mulheres deixar de ouvir desejos tão intensos de um tal sangue?

Não se tratava de uma vida frágil. Não era, de modo algum, um destino lastimável. Era, antes, insolente e trágico. A ponto de se poder chamá-lo resplandecente.

É provável que, mesmo em meio a doces beijos, a agonia da morte em vida se tenha prenunciado no franzir das sobrancelhas.

Ele próprio, ainda que de forma vaga, já o sabia de antemão. Sabia que aquilo que o esperava ao longo do caminho não poderia ser outra coisa que não o martírio. Que somente a marca do trágico destino o destacaria dos meros mortais.

Pois naquela manhã, pressionado por inúmeros deveres militares, Sebastião chutou as cobertas e levantou-se de sobressalto ao romper do dia. O sonho que tivera ao amanhecer ainda repousava em seu travesseiro: pegas agourentas se amontoavam em seu peito, cobrindo-lhe a boca com asas que se debatiam no ar. Mas a cama tosca em que deitava seu corpo noite após noite talvez o convidasse a sonhar com o mar toda vez que ali repousava: exalava odor de algas lançadas à praia. À janela, vestido com sua armadura que rangia ao menor movimento, Sebastião avistou a constelação chamada Mazzaroth pouco acima do horizonte, e a ela se misturava a visão do templo defronte, rodeado por um bosque. Ao ver aquele magnífico templo pagão, suas sobrancelhas tomaram um ar de desprezo, quase de dor. Era, no entanto, a feição que mais lhe caía bem. Invocando o santo nome de seu Deus único, entoou dois ou três versículos sagrados das Escrituras. Então, como se seu murmúrio ecoasse, multiplicado milhares de vezes, ouviu-se um portentoso gemido proveniente, com toda a certeza, da direção do templo, daquelas colunas enfileiradas que cortavam o céu estrelado. Era um som estranho, como o de uma pilha a desmoronar, ressoando no infinito de estrelas. Ele sorriu. E, baixando os olhos, viu um grupo de donzelas que subia em segredo a seus aposentos para as preces matinais, ainda sob a escuridão da madrugada, como sempre faziam, cada qual trazendo nas mãos um lírio ainda adormecido...

Chegou o inverno de meu segundo ano de ginásio. Já estávamos acostumados às calças compridas, a chamar uns aos outros sem a formalidade dos pronomes de tratamento. (Na escola primária os professores nos obrigavam a usar "san" para chamar os colegas. Além disso, mesmo no auge do verão, tínhamos de usar meias longas para não deixar os joelhos à mostra sob as calças curtas. Por isso, quando passamos a vestir calças compridas, nossa primeira alegria foi saber que aquelas ligas já não nos apertariam as coxas.) Habituáramo-nos também à fina arte de zombar dos professores, a definir de quem era a vez de pagar algo para todos na cantina, a sair correndo pelo bosque da escola e brincar de "selva", à vida no dormitório. Só esta última experiência eu não tive. Meus cautelosos pais, sob o pretexto de que minha saúde era frágil, conseguiram que se abrisse uma exceção à regra que quase obrigava os estudantes de ginásio a morar um ou dois anos no dormitório. Mais uma vez, porém, a razão principal era não permitir que eu aprendesse "coisas feias".

Era pequeno o número de estudantes que frequentavam a escola somente durante o dia. A partir do último bimestre do segundo ano, um novo aluno juntou-se a esse grupo reduzido. Seu nome era Omi, e ele fora expulso do dormitório por indisciplina. Até aquele momento, não lhe dera muita atenção. A expulsão, porém, o marcara com o estigma da chamada "delinquência", e de repente eu não conseguia mais tirar os olhos dele.

Certo dia, um amigo gordo e de bom caráter veio correndo e bufando em minha direção, exibindo covinhas de alegria no rosto. Quando vinha me procurar daquele jeito, era porque tinha informações sigilosas.

— Olha, tenho boas notícias!

Afastei-me do aquecedor e fui com ele recostar-me a uma janela do corredor, da qual se podia avistar o vento varrendo o pátio onde se praticava arco e flecha. Aquele era o local em que geralmente trocávamos confidências.

— Bem, o Omi... — hesitou, já com o rosto corado.

Certa vez, por volta da quinta série do primário, estávamos todos conversando sobre "aquilo" e esse mesmo amigo nos desmentira categoricamente, com bons argumentos: "Isso é pura mentira! Vocês não me enganam, eu sei que não é assim". Em outra ocasião, ao ouvir que o pai de um colega sofria de paralisia, alertara-me para que não me aproximasse muito daquele estudante, porque se tratava de doença contagiosa.

— E daí, o que tem o Omi? — Embora eu ainda falasse de maneira mais delicada e feminina em casa, começara a me expressar com certa grosseria na escola.

— Olha, é verdade. Aquele sujeito, o Omi, dizem que ele é "experiente"...

Devia ser mesmo. Com certeza, já repetira duas ou três vezes de ano, seu porte físico era mais avantajado e o contorno do rosto mostrava matizes de uma juventude privilegiada, que deixava a nossa para trás. Seu escárnio gratuito era inato e altivo. Para ele não havia uma única coisa que não merecesse ser desdenhada. Assim como alunos excelentes são alunos excelentes, professores são professores, policiais são policiais, universitários são universitários, funcionários de escritório são funcionários de escritório, Omi era Omi, e nada escapava de seus olhos de desdém e de sua risada de escárnio.

— É mesmo?

Por alguma razão desconhecida, logo imaginei-o limpando os rifles que usávamos nos treinamentos militares, e demonstrando habilidade na tarefa. Lembrei-me de seu ar de adulto precoce, elegante líder de pelotão, alvo da atenção especial e preferido apenas do instrutor militar e do professor de educação física.

— É por isso... é por isso que... — Meu amigo soltou uma risadinha obscena, só compreensível entre ginasianos.

— Dizem que ele tem "aquilo" muito grande. No próximo "golpe baixo", tente pegar para ver. Aí vai saber se é verdade mesmo.

"Golpe baixo" era uma brincadeira tradicional em nossa escola, muito difundida entre os ginasianos das primeira e segunda séries. Mais do que brincadeira, porém, parecia uma doença mórbida, como costuma acontecer com as diversões que viram mania. Brincávamos em plena luz do dia, à vista de todos. Procurava-se alguém que estivesse andando distraidamente. Então, o distraído era abordado sorrateiramente pela lateral e agarrado entre as pernas. Se o ataque era bem-sucedido, o executor fugia vitorioso para longe e zombava:

— Como o do fulano é grande! É enorme!

Fosse qual fosse a razão para aquele tipo de brincadeira, parecia que seu único intuito era expor os trejeitos cômicos da vítima, derrubando livros e tudo mais que estivesse carregando para proteger com as duas mãos o alvo do ataque. Na verdade, cada um descobria aí sua própria vergonha, liberada pelo riso; então, do patamar seguro proporcionado pela gargalhada, satisfazia-se em ridicularizar a vergonha de todos, materializada no rubor das faces da vítima.

Como se tivessem combinado, as vítimas sempre gritavam:

— Esse sujeito é muito sujo!

E as pessoas ao redor aderiam ao coro:

— Esse sujeito é muito sujo!

Omi era um craque nessa brincadeira. Atacava com rapidez e quase sempre obtinha êxito. Podia-se até imaginar se, em seu íntimo, os garotos não ansiassem por seu ataque. Em contrapartida, Omi era alvo frequente do desejo de vingança de suas vítimas. Mas ninguém ainda conseguira se vingar dele. Andava com uma das mãos no bolso e, ao ser emboscado, agilmente formava com ela e com a mão livre uma dupla armadura.

As palavras de meu amigo fizeram brotar em mim ideias nocivas como ervas daninhas. Até então, eu brincava de "golpe baixo" na mais pura inocência, como meus colegas. Aquelas palavras, no entanto, tornaram inevitável relacionar meu "mau hábito" — que eu inconscientemente vinha segregando com rigidez, ou seja, mantendo no âmbito estrito de minha vida particular — com a tal brincadeira, isto é, com meu convívio social. Tive certeza de que estabelecera essa relação quando ele me propôs: "tente pegar para ver". Para mim, aquela sugestão adquirira de repente um sentido especial, um significado que meus ingênuos colegas jamais teriam entendido.

Dali em diante, não participaria mais do "golpe baixo". Comecei a temer o instante em que tivesse de atacar Omi, e mais ainda o momento em que ele viesse me atacar. Sempre que a brincadeira parecia descambar para esse lado (e a verdade é que isso podia acontecer do nada, como nos motins e nas rebeliões), eu me afastava do grupo e, de longe, pregava os olhos em Omi, sem piscar.

Na realidade, sua influência já estava nos corrompendo antes mesmo que tomássemos consciência disso.

A começar pelas meias, por exemplo. Naquela época, o sistema educacional direcionado para a formação de militares já se revelava corroído em nossa escola também, e ressurgia o lema deixado pelo famoso general Enoki: "Seja honesto e viril". Por isso, o uso de meias e cachecóis chamativos era proibido. Os cachecóis, aliás, tinham sido banidos, camisas tinham de ser brancas, meias pretas, pelo menos lisas. Somente Omi não deixava de ir à escola sem seu cachecol de seda branca e as vistosas meias estampadas.

Ele, o primeiro a se rebelar contra as proibições, era dono de habilidade incrível para travestir sua perniciosidade em bela revolta. Descobrira por experiência própria a fraqueza dos meninos ante o glamour que aquilo evocava. Diante do instrutor militar de quem se mostrava mais íntimo — um soldado raso caipira que mais parecia afilhado de Omi —, enrolava deliberada e vagarosamente o cachecol de seda branco no pescoço e exibia-se com seu casaco de botões dourados, cujas lapelas se abriam à esquerda e à direita, ao estilo de Napoleão.

Como sempre acontece, porém, a revolta das massas ignorantes não vai além da imitação barata. Na medida do possível, querem se esquivar dos perigos daí resultantes e saborear apenas o lado doce de sua rebelião: da rebeldia de Omi, imitamos apenas as meias chamativas. Tampouco eu sou exceção à regra.

Ao chegar à escola de manhã, em meio ao alvoroço que precedia o início das aulas, nós conversávamos sentados nas mesas, e não nas cadeiras. Se alguém calçava meias chamativas, de estampas novas, sentava-se de modo a erguer um pouco a calça pelo vinco. Então, de imediato, era recompensado por olhares atentos e gritos de admiração:

— Puxa, que meias chocantes!

Não conhecíamos palavra mais elogiosa do que "chocante". Contudo, fosse ao dizê-la ou ao ouvi-la, ficávamos imaginando aquele olhar arrogante de Omi, que só aparecia já quase na hora de enfileirarmo-nos para o início da aula.

Certa manhã de sol, depois de uma noite de neve, fui para a escola bem cedo. Meu amigo me telefonara para avisar de que haveria uma guerra de neve. À noite, como é de minha natureza, não consegui dormir, só pensando no que aconteceria na manhã seguinte; por isso, apesar de ter despertado cedo demais, logo fui para a escola, sem me importar com o horário.

Os sapatos mal afundavam na neve. E por causa dela, à luz de um sol ainda baixo, a paisagem parecia-me mais melancólica do que bela. Assemelhava-se a uma atadura encardida a esconder as feridas da paisagem citadina, e a beleza de uma cidade nada mais é do que a beleza de suas feridas.

Da janela do trem ainda vazio, via o sol subindo do outro lado do bairro industrial, à medida que me aproximava da estação em frente à escola. A paisagem se enchia de cores alegres. As fileiras verticais de chaminés erguendo-se agourentas e o sombrio sobe e desce dos monótonos telhados de ardósia ocultavam-se à sombra da ruidosa gargalhada da máscara de neve iluminada pelo sol matinal. É num tal teatro de máscaras, com um cenário gélido ao fundo, que em geral se encenam tragédias, como as revoluções e os motins. E mesmo os rostos empalidecidos dos transeuntes, que refletiam a cor da neve, lembravam-me conspiradores.

Ao descer na estação diante do portão da escola, ouvi o som da neve, que já derretia, escorrendo do telhado do escritório de uma companhia de transportes da vizinhança. Para mim, eram raios de luz que caíam, não conseguia conceber outra coisa. Um após o outro, lançavam-se à morte com gritos de guerra, em direção ao pântano falso de concreto pintado pela lama dos sapatos. Um deles, por engano, atingiu-me a nuca...

Do lado de dentro do portão, não se via nenhuma pegada na neve. A sala dos armários também estava trancada.

Abri a janela de uma das salas da segunda série no piso térreo e avistei a neve sobre o bosque. Partindo do portão de trás da escola, um caminho subia pelo bosque em diagonal até o prédio onde me encontrava. Vi grandes pegadas estampadas nele, chegando até debaixo das janelas. Depois, davam meia-volta e sumiam atrás do prédio de ciências, defronte, à esquerda.

Alguém já estava ali. Não havia dúvida de que viera subindo desde o portão, dera uma espiada pela janela da sala de aula e, como ninguém tivesse chegado, seguira caminhando até os fundos do prédio de ciências. Eram poucos os alunos que entravam e saíam por aquele portão. Havia rumores de que Omi, um deles, vinha para a escola direto da casa de alguma mulher. Mas só aparecia na hora de formar a fila. Ainda assim, se não fosse ele, quem poderia ser? Pelo tamanho das pegadas, não conseguia imaginar outra pessoa.

Debrucei-me na janela e, forçando a vista, vi a lama preta e fresca nas marcas de sapato. Pareciam-me passos resolutos e cheios de energia. Uma força indescritível atraía-me para eles. Quase caí de cabeça: queria enterrar meu rosto neles. Como sempre, porém, salvou-me do tombo a lentidão dos comandos de meu sistema nervoso; deixei minha pasta sobre uma das carteiras e, devagar, subi até o peitoril da janela. O revestimento de pedra pressionava os colchetes do meu uniforme na altura do peito, raspando minhas frágeis costelas e produzindo um misto de dor e doce tristeza. Ao pular da janela sobre a neve, aquela dorzinha contraía-me o peito de forma agradável, preenchendo-me com uma sensação de perigo que me fazia estremecer. Com cuidado, encaixava minhas galochas nas marcas de sapato.

Embora parecessem grandes, aquelas marcas eram quase do tamanho de meus pés. Não me passou pela cabeça que o dono das pegadas pudesse estar calçando galochas também, como era moda entre nós naqueles tempos. Por isso, comecei a achar que não eram de Omi. Mesmo assim, algo me atraía, levando-me a seguir os rastros enegrecidos, ainda que temesse a possibilidade de ver minha expectativa contrariada. Àquela altura, Omi talvez fosse apenas parte de minha motivação para continuar: estava agora possuído pelo desejo de vingar-me daquele que chegara antes de mim e deixara suas marcas de sapato na neve, daquele que, de certa forma, violara o desconhecido.

Seguia as pegadas com respiração ofegante.

Como se tivesse de pular de pedra em pedra, uma distante da outra, eu as seguia passo a passo: algumas acumulavam lama preta lustrosa; outras, grama seca, neve compacta e suja, pedregulhos. Quando me dei conta, caminhava a largas passadas, exatamente como Omi.

Passei pelos fundos do prédio de ciências, que projetava sua sombra sobre a neve, e alcancei a parte elevada do terreno, bem em frente ao enorme campo para práticas esportivas. Era impossível distinguir os trezentos metros de pista elíptica que circundavam o gramado ondulado, porque uma resplandecente camada de neve cobria tudo. Num canto desse gramado havia duas grandes zelcovas bem próximas uma da outra, e suas sombras, alongadas pelo sol da manhã, davam um sentido à paisagem gélida, a alegre imperfeição com que a natureza costuma acentuar a grandeza. As árvores enormes se erguiam com graciosa plasticidade contra o céu azul de inverno, banhadas pelo reflexo da neve e pelos raios do sol da manhã que incidiam sobre seus flancos. Da divisa entre o tronco e as copas secas caíam vez por outra flocos de neve, como se fosse pó de ouro. Os telhados dos dormitórios dos meninos, enfileirados do outro lado do campo, e o bosque mais além pareciam ainda imobilizados pelo sono, fazendo com que até mesmo o som surdo da neve ecoasse ao longe.

Por um instante, não conseguia enxergar nada ante o brilho ofuscante que se estendia à minha frente. A paisagem nevada tinha algo das ruínas recentes de um castelo: a luz e o brilho sem fronteiras que só se veem em tais ruínas incidiam sobre aquela miragem. E num de seus cantos, numa faixa de quase cinco metros de largura, viam-se letras enormes escritas. A que estava mais próxima de mim era um grande círculo: a letra O. Depois, vinha um M e, mais adiante, um I comprido e gigante ainda estava sendo escrito.

Era Omi. As pegadas que eu havia seguido me trouxeram ao O, do O ao M, do M ao inacabado I: fizeram-me chegar ao próprio Omi, que arrastava suas galochas na neve, olhando para o chão por sobre o cachecol branco, as duas mãos enfiadas nos bolsos do casaco. Sua sombra se projetava paralelamente às das árvores, prolongando-se com audácia sobre a neve.

Minhas faces coraram. Sem tirar as luvas, fiz uma bola de neve e a atirei na direção dele. Não consegui atingi-lo. Mas ele, que terminara de escrever a letra I, voltou seu olhar em minha direção, talvez por acaso.

— Ei!

Era bem provável que reagisse apenas com mau humor à minha presença. Mas, embora receoso, uma paixão inexplicável me impelia e, mal acabara de gritar, eu já descia correndo a íngreme ladeira. Então, inesperadamente, ouvi seu grito cheio de energia, amigável, ecoando em minha direção:

— Ei! Não pise nas letras!

Com certeza, o Omi daquela manhã não era o de sempre. Ele, que nunca fazia a tarefa quando voltava para casa, que sempre deixava seus livros e materiais no armário da escola, que chegava com ambas as mãos enfiadas nos bolsos do casaco, a tempo apenas de despi-lo com destreza e juntar-se ao fim da fila. Jamais imaginara que me recepcionaria com aquele seu sorriso típico, amistoso e rude ao mesmo tempo; a mim, a quem em geral tratava como uma criança para a qual nem se dava o trabalho de torcer o nariz. Pois naquela exata manhã chegara cedo e, sozinho, fazia hora para passar o tempo! Como eu ansiava por aquele sorriso, por aqueles dentes alvos, joviais, perfilados!

Contudo, à medida que seu rosto sorridente se aproximava e eu podia vê-lo com nitidez, a paixão que me fizera chamá-lo havia pouco foi se esvaecendo em mim e, perturbado, recuei. Eram as barreiras de uma súbita percepção. Omi forjava aquele sorriso a fim de esconder sua fraqueza, o medo de ser desmascarado. Mais do que a mim, porém, aquilo feriu a imagem que eu vinha construindo dele.

No instante em que vi seu nome, OMI, escrito em letras garrafais na neve, compreendi, talvez de forma ainda semi--inconsciente, todos os cantos e recantos de sua solidão, assim como o verdadeiro motivo, desconhecido até dele próprio, que o trouxera tão cedo à escola naquela manhã... Se naquele momento meu ídolo se ajoelhasse e se desculpasse em pensamento, dizendo-me algo como: "Vim cedo por causa da guerra de neve", algo muito mais importante do que seu orgulho se perderia, se quebraria dentro de mim. Eu estava impaciente, sabia que tinha de dizer alguma coisa.

— Acho que a guerra de hoje gorou, não é? — disse enfim.

— Pensei que fosse nevar mais.

— Hum.

Seu rosto expressava indiferença. Os traços robustos tornaram a se endurecer e renascia-lhe uma espécie de desdém piedoso em relação a mim. Os olhos começaram a brilhar com insolência, esforçando-se por me encarar como uma mera criança. Uma parte de seu coração me agradecia por não lhe ter perguntado absolutamente nada a respeito das letras na neve, e atraía--me a maneira como ele sofria ao resistir a essa gratidão.

— Ora, que ridículo, você usa luvas que parecem de criança!

— Mas adultos também usam luvas de lã!

— Coitadinho. Aposto como nem conhece a sensação agradável de uma luva de couro. Tome, experimente!

De repente, ele pressionou as luvas molhadas pela neve em minhas faces coradas. Esquivei-me. O puro desejo carnal subiu em chamas pelo meu rosto, onde ele deixara marcas como feitas a ferro. Sentia-me fitando-o com olhos translúcidos.

Foi a partir daquele momento que me apaixonei por Omi.

Dizendo-o nua e cruamente, foi a primeira paixão de minha vida. E posso afirmar com clareza que se tratou de uma paixão ligada a desejos carnais.

Eu esperava com impaciência pelo verão, ao menos por seu início. Achava que essa estação do ano me proporcionaria a oportunidade de ver o corpo nu de Omi. Acalentava também, em meu íntimo, um desejo ainda mais vexatório: a vontade de ver aquela "coisa grande" que ele tinha.

Dois pares de luvas se misturam em minha memória, como linhas cruzadas de telefone. Aquelas luvas de couro de Omi e um par de luvas brancas, para ocasiões mais cerimoniosas, sobre o qual falarei adiante. Um deles é uma lembrança real; o outro, um equívoco da memória. Talvez as luvas de couro fossem mais apropriadas aos traços rudes de Omi. Mas, por causa desses mesmos traços rudes, provavelmente as brancas combinassem mais.

Traços rudes... É como eu os defino, mas talvez essa rudeza não passasse do contraste provocado por um rosto de rapaz, como tantos outros, misturado ao de meninos. Seu porte físico era sem dúvida mais avantajado do que o nosso, mas, em estatura, Omi era bem menor do que o mais alto de nossos colegas. Só ele, porém, "preenchia" por completo o uniforme austero da escola, que lembrava o de um oficial da Marinha, transmitindo uma sensação de solidez, uma espécie de sensualidade; nós, com nossos corpos imaturos de meninos, não conseguíamos vesti-lo com elegância, por mais que tentássemos. Com certeza, eu não era o único a observar com olhos cheios de inveja e amor aqueles músculos dos ombros e do tórax, delineados com nitidez sob o uniforme de sarja azul-marinho.

No rosto de Omi pairava sempre um certo ar obscuro de superioridade. Provavelmente, apenas um sentimento que o fazia arder em chamas quando se sentia ferido. Passara por reprovações, expulsões... Tudo indicava que tais infortúnios simbolizavam uma vontade frustrada. Vontade de quê? Eu tinha a vaga ideia de que devia haver um desejo para o qual seu "espírito do mal" o impulsionava. E estava certo de que nem ele próprio tinha consciência dessa vasta conspiração que se tramava em seu íntimo.

Seu rosto era redondo e, nas faces morenas, os ossos das maçãs erguiam-se com arrogância. Sob o nariz carnudo, mas bem delineado e nem tão proeminente, os lábios pareciam alinhavados com pontos bem finos, o queixo era robusto. Naquele rosto, pressentia-se o fluxo do sangue abundante por todo o corpo. O que se via ali era a vestimenta de uma alma indômita. Quem poderia esperar dele um lado íntimo, oculto? A única coisa que se esperava encontrar em Omi era o molde daquela perfeição esquecida que abandonamos num passado remoto.

Às vezes, do nada, ele vinha espiar os livros que eu estava lendo, muito eruditos para minha idade. Quase sempre eu os escondia com um sorriso vago. Não porque tivesse vergonha. Temia apenas que ele acabasse se interessando por coisas como livros e, sem jeito, passasse a detestar sua perfeição inconsciente, o que me custaria muito caro. Seria penoso ver aquele pescador esquecer-se de sua Jônia natal.

Observando-o sem cessar, tanto durante as aulas como nos exercícios físicos, acabei construindo uma imagem perfeita dele, sem uma única falha. É por isso também que, nas lembranças que me ficaram na memória, não consigo encontrar nenhum defeito. Em narrativas como esta, à maneira de um romance, uma vez descritas as particularidades indispensáveis, as adoráveis idiossincrasias de uma personagem, são suas falhas que podem lhe dar mais vida. É justamente isso, ao menos uma imperfeição, que não consigo extrair do Omi incrustado em minha memória. Por outro lado, guardo dele inúmeras coisas, detalhes de variedade infinita, delicadas nuances. Em resumo, o que colhi de Omi foi uma definição da perfeição da vida, personificada em sobrancelhas, testa, olhos, nariz, orelhas, faces, os ossos das maçãs do rosto, lábios, queixo, nuca, pescoço, a cor de seu sangue, a de sua pele, sua força, seu tórax, suas mãos e inúmeros outros atributos.

De tudo isso resultou para mim uma seleção e um sistema de preferências. Por causa dele, não pensava em amar um intelectual. Tampouco me sentia atraído por alguém do mesmo sexo que usasse óculos. Por sua causa, comecei a amar a força, a impressão que causa o sangue fluindo em abundância, a ignorância, os gestos rudes, a fala descuidada, a melancolia selvagem, inerente à carne, que não se deixa carcomer pelo intelecto...

Do ponto de vista lógico, no entanto, essas preferências indelicadas resultaram para mim, desde o início, numa certa impossibilidade. Em outras palavras, nada há de mais lógico do que o impulso da carne. Assim que a compreensão, a digestão pelo intelecto, começa a se misturar dentro de mim, meu desejo logo arrefece. Se descobrisse o menor sinal de inteligência no outro, isso me fazia buscar julgamentos racionais de valores. Numa relação recíproca como o amor, tudo que esperamos do outro será cobrado de nós também; assim sendo, desejar a ignorância, ainda que temporária, exigiria de mim uma total "revolta contra a razão". Disso, porém, eu era incapaz. E desse modo, mesmo com o passar do tempo, eu me precavia evitando falar com os donos de carnes não corrompidas pelo intelecto — valentões, marinheiros, soldados, pescadores —, não vendo outra solução além de apenas observá-los de longe, com olhos fixos e indiferença febril. Talvez o melhor lugar para mim fosse alguma terra incivilizada dos trópicos, cuja língua não pudesse compreender. Pensando bem, desde a mais tenra idade, eu nutria uma paixão pelos verões das terras selvagens, intensos, escaldantes...

Bem, falemos agora sobre as luvas brancas.

Na minha escola era costume usar luvas brancas nos dias em que se realizava algum tipo de cerimônia. Nos punhos, botões de madrepérola brilhavam melancólicos e, nas costas das mãos, três linhas de costura enfileiravam-se pensativas. Só o fato de calçar aquelas luvas fazia-me lembrar do auditório sombrio, da caixa de doces de Shioze* que ganhávamos na saída, das solenes manhãs de sol de dias que pareciam produzir apenas sons alegres em seu decorrer, mas que depois se decepcionavam.

Era um feriado nacional no inverno, com certeza o dia em que se comemora a fundação do país. Também naquela manhã Omi chegara cedo à escola.

Ainda havia tempo até a hora de formar as filas. A cruel diversão dos alunos do segundo ano era expulsar os do primeiro do balanço de tronco de árvore que ficava ao lado das instalações da escola. Apesar de menosprezarem brinquedos infantis como aquele, no fundo os segundanistas ainda se sentiam atraídos por eles. Ao prazer da brincadeira em si, juntavam o mérito aparente de mostrar que não brincavam a sério, mas apenas se sentiam meio obrigados a agir daquela forma. Já expulsos, os alunos do primeiro ano haviam formado um círculo a certa distância e ob-

---

* Confeitaria muito antiga e tradicional da região de Nara. (N. T.)

servavam a competição violenta entre os mais velhos. Conscientes da presença da plateia, estes últimos tentavam derrubar um ao outro do tronco, que balançava a um ritmo constante.

Omi estava entre eles; com os pés firmemente plantados, seus olhos procuravam sem cessar por novos inimigos, fazendo-o parecer um matador acuado. Ninguém no segundo ano era páreo para ele. Alguns meninos que já tinham pulado para cima do balanço foram logo derrubados por suas mãos ágeis, caindo e pisoteando os cristais de geada que cintilavam sob o sol matinal. A cada vitória, ele apertava as duas mãos cobertas por luvas brancas na altura da testa, como fazem os boxeadores, e sorria para todos. Os primeiranistas o ovacionavam, esquecidos de quem os expulsara do balanço.

Meus olhos seguiam as mãos enluvadas de branco. Moviam-se intrépidas e com uma precisão incomum. Pareciam patas de uma fera jovem, como as de um lobo. Por vezes, lembravam as penas de uma flecha cortando o ar da manhã de inverno e acertando em cheio o flanco do inimigo. Alguns "derrotados" batiam os quadris na terra coberta pela geada. Umas poucas vezes, logo após ter derrubado o adversário, ele próprio parecia estar em apuros, tentando se equilibrar de novo sobre o tronco escorregadio que reluzia uma camada fina de gelo. Mas a força de seus quadris maleáveis o restituía à posição de assassino acuado.

O balanço movia-se indiferente, da esquerda para a direita, em arcos compassados...

Enquanto observava a cena, de repente fui tomado por certa inquietação, uma inquietação inexplicável, que mal me permitia ficar em pé. Parecia alguma tontura provocada pelo vaivém do balanço, mas não era essa a causa. Talvez fosse uma vertigem psicológica, a insegurança de sentir meu equilíbrio interior prestes a se romper ao ver os movimentos perigosos de Omi. E nessa minha vertigem, duas forças disputavam o controle sobre mim. Uma era a de autopreservação, a outra era mais profunda, uma força que desejava com maior intensidade ver o colapso de meu equilíbrio interior. Essa última era a compulsão pelo suicídio, um impulso sutil e secreto ao qual as pessoas se rendem com frequência, inconscientemente.

— Ei, o que há com vocês, bando de covardes! Ninguém mais vai me desafiar?

Sobre o tronco, seu corpo balançava levemente para os lados, e Omi apoiava na cintura as duas mãos enluvadas. O distintivo dourado em seu chapéu brilhou ao sol da manhã. Nunca o vira tão belo antes.

— Estou indo!

Pelo bater do meu coração, cada vez mais acelerado, eu podia prever com precisão o momento em que diria aquelas palavras. Era sempre assim quando me rendia ao desejo. Mais do que um ato inevitável, ir até lá e postar-me em pé no balanço era para mim algo predeterminado. É por isso que, em anos posteriores, seria levado ao equívoco de me considerar uma "pessoa intuitiva".

— Desista! Desista! Está na cara que você vai perder!

Sob gritos zombeteiros, subi pela pontinha do tronco. E quando tentava me pôr em pé, comecei a escorregar, provocando novas e ruidosas gozações.

Omi me recepcionou com uma expressão de pilhéria. Fez de tudo para bancar o palhaço, fingindo escorregar também. Zombou de mim, agitando as pontas dos dedos cobertos pelas luvas brancas. Aos meus olhos, pareciam pontas afiadas de alguma arma perigosa, prontas a serem cravadas em mim ao menor descuido.

Nossas luvas trocaram vários tapas. E toda vez que se encontravam, a força de suas mãos me fazia perder o equilíbrio. Percebi que Omi controlava sua força de propósito, para que minha derrota não fosse rápida demais, como se quisesse se divertir comigo até se cansar.

— Ai, que perigo! Você é forte mesmo, hein? Eu já perdi esta parada. Estou quase caindo... Veja!

Ele pôs a língua para fora e fingiu cair.

Eu sentia uma dor intolerável ao vê-lo fazer aquelas caretas, ao vê-lo destruir inconscientemente sua própria beleza. Baixei os olhos à medida que era empurrado pelo tronco. E então desmoronei com uma investida da sua mão direita. A minha, num reflexo, agarrou as pontas de seus dedos, na tentativa de evitar o tombo. Apertei-os, sentindo o contato vivo daqueles dedos que se ajustavam com perfeição à luva.

Nesse momento, nossos olhares se encontraram. Foi apenas por um instante. Suas caretas deram lugar a uma expressão despida de adornos, provocando-me estranha sensação. Não era expressão de hostilidade nem de ódio, mas de algo imaculado, intenso, que vibrava em seu rosto como a corda de um arco. Talvez fosse apenas minha imaginação. Ou talvez não passasse da expressão vazia que se mostrou em seu semblante no momento em que, puxado pelas pontas dos dedos, ele perdeu o equilíbrio. Intuí, no entanto, que, ao mesmo tempo que sentiu a força que fluía como um relâmpago entre nossos dedos, ele leu em meu olhar fugaz que eu o amava, a ele e a mais ninguém.

Caímos do balanço quase ao mesmo tempo.

Ajudaram-me para que eu me levantasse. Omi me ajudou. Puxou-me pelo braço de um modo brusco e, sem dizer nada, espanou a lama do meu uniforme. Seus cotovelos e luvas também estavam manchados de lama misturada àquela geada cintilante.

Olhei-o no rosto, como se reprovasse sua atitude. Ele pegara em meu braço e começara a andar.

Em minha escola, os colegas da mesma série se conheciam desde a época do primário, e por isso não era de estranhar que andássemos de braço dado ou com a mão no ombro de alguém da mesma classe. Quando soou o apito para formar as filas, corremos todos de braços dados para formá-las. A todos, o fato de eu ter caído e rolado do balanço com Omi não passava do fim de uma brincadeira que já começava a entediá-los, e mesmo o fato de andar com o braço entrelaçado ao dele tampouco chamava a atenção.

Contudo, a alegria que senti ao caminhar apoiado em seu braço foi infinita. Talvez porque tivesse uma saúde frágil desde pequeno, eu em geral associava algum mau presságio às alegrias, às mais variadas pelas quais passei, mas a sensação de força e rigidez de seu braço em contato com o meu parecia percorrer todo o meu corpo. Minha vontade era de caminhar daquela forma até os confins do mundo.

Ao chegar ao local onde formávamos as filas, porém, Omi largou do meu braço como se nada tivesse acontecido e tomou sua posição. Depois disso, não se voltou mais para onde eu estava. Durante a cerimônia, várias vezes olhei e comparei as manchas de lama de minhas luvas brancas com as dele, que se sentou quatro assentos longe de mim.

Essa adoração cega por Omi roubava-me o juízo crítico e, mais ainda, a consciência moral. Qualquer tentativa de analisá-la resultava inútil. Se existe uma paixão desprovida de continuidade ou progresso, esse era exatamente o meu caso. Eu sempre olhava para Omi como se fosse "a primeira vez" ou, se posso me expressar desta forma, com um "olhar primordial". Era meu inconsciente que intervinha, no esforço incessante de proteger da erosão a pureza de meus quinze anos.

Era paixão o que eu sentia? À primeira vista, meus sentimentos pareciam conservar sua pureza, mas também nesse tipo de amor, repetindo-se tantas vezes, havia um tipo peculiar de decadência, de degeneração. E era uma decadência muito mais maligna do que a de outras paixões existentes neste mundo: de todas as formas de degeneração, a pureza degenerada é a mais perniciosa.

Em relação a esse amor não correspondido, porém, o primeiro com o qual deparava em minha vida, sentia-me verdadeiramente como um passarinho que esconde sob as asas o inocente desejo da carne. O que me fazia fraquejar não era o desejo de posse, e sim a mais pura e simples tentação.

Quando estava na escola, em especial durante as aulas entediantes, eu não conseguia desgrudar meus olhos do perfil de seu rosto. Que mais poderia fazer, eu, que não sabia que o amor consiste em caçar e ser caçado? Para mim, aquele sentimento não passava de um diálogo composto de pequenos enigmas, sempre indecifrados. Nem sequer imaginava que minha adoração por Omi pudesse ser recompensada de alguma maneira.

Então, certo dia, apesar de ter pego um resfriado leve, nada de grave, faltei à escola. Só na manhã seguinte fiquei sabendo que justamente no dia anterior tinha havido o primeiro exame médico da primavera para o terceiro ano. Acompanhado de mais dois, três alunos, que também haviam faltado, fui até a enfermaria.

Um aquecedor a gás emitia uma chama azul, parecendo ora acesa, ora apagada em meio aos raios de sol que invadiam a sala. Só se sentia o cheiro de desinfetantes. Não havia em parte alguma aquele cheiro rosa-claro que lembrava o de vapor de leite adocicado, peculiar daqueles dias de exame médico, quando corpos nus de meninos se empurravam e se acotovelavam. Despimos a camisa em silêncio, tremendo de frio.

Um menino magro, que como eu sempre estava resfriado, subiu na balança. Ao ver suas costas franzinas, pálidas, cheias de penugem, um desejo reavivou-se de repente dentro de mim. Aquela vontade tão intensa de sempre querer ver Omi despido. Como fora estúpido não pensar que o exame médico teria sido a oportunidade mais apropriada. Mas eu a deixara passar, e agora não havia outro jeito senão esperar sabia-se lá até quando pela próxima chance.

Empalideci. Meu corpo nu, sua tez alva, toda arrepiada, sentiu um arrependimento que era como um frio cortante. Com o olhar vago, esfreguei as míseras marcas das vacinas em meus braços frágeis. Fui chamado. A balança pareceu-me uma forca anunciando a hora da execução.

— Trinta e nove e meio!

Era o assistente, um ex-enfermeiro das Forças Armadas, informando a leitura ao médico da escola.

— Precisa chegar pelo menos aos quarenta quilos... — resmungou o doutor, anotando o peso conferido em minha ficha.

Em todo exame médico eu tinha de passar por aquele tipo de humilhação. Naquele dia, porém, suportei-a mais aliviado, porque Omi não estava lá para presenciar o vexame. E, por um momento, meu alívio chegou mesmo a tomar a forma da alegria...

— Muito bem, o próximo!

O assistente empurrou-me rispidamente pelos ombros, mas não me virei para lançar-lhe meu olhar de repúdio e irritação, como sempre fazia.

Entretanto, não era possível que não previsse, ainda que de forma indistinta, o desfecho de meu primeiro amor. Talvez a inquietação desse pressentimento fosse o cerne de meu prazer.

Era um dia de quase verão, uma amostra da estação vindoura como que recortada por um alfaiate, uma espécie de ensaio geral dos dias que estavam por vir — aquele dia do ano em que o verão envia um representante para inspecionar o guarda-roupa das pessoas e assegurar-se de que está tudo pronto para a sua chegada. Como sinal dessa inspeção, as pessoas saem às ruas vestindo roupas leves.

Apesar da temperatura mais elevada, eu estava resfriado e com os brônquios obstruídos. Na companhia de um amigo com indisposição estomacal, fui até a enfermaria para pegar os atestados médicos necessários para que pudéssemos apenas "assistir" à aula de educação física, sem ter de participar dos exercícios.

Na volta, andávamos o mais devagar possível, a caminho do ginásio esportivo. Só o fato de termos passado na enfermaria já era um pretexto e tanto para o nosso atraso, e queríamos encurtar ao menos um pouco aquela aula chata, em que teríamos de ficar apenas observando.

— Que calor, hein?

Tirei o casaco do uniforme.

— Você, que está resfriado, não deveria fazer isso. Olha que eles vão obrigar você a fazer ginástica.

Vesti correndo o casaco.

— No meu caso, é o estômago, então não tem problema.

Dessa vez, foi meu amigo quem tirou o casaco, como se quisesse se mostrar.

Ao chegar ao ginásio, vimos casacos e até camisas pendurados nos pregos da parede. Nossa classe, de cerca de trinta alunos, estava reunida em volta das barras de ferro do lado de fora. Vista de dentro do ginásio coberto e escuro, a área ao redor das barras, onde o chão era de areia e grama, irradiava um clarão que parecia arder. Com o complexo de inferioridade resultante da minha saúde debilitada, dirigi-me para onde todos se encontravam, forçando uma tosse inconformada.

O franzino professor de educação física, sem sequer lançar-me um olhar, pegou o atestado da minha mão e logo virou-se para os demais:

— Muito bem, vamos começar pelas barras horizontais. Omi, mostre como é que se faz.

Ouvi meus colegas chamando seu nome baixinho. Durante as aulas de educação física, ele muitas vezes desaparecia. Não se sabia o que fazia nessas ocasiões, mas dessa vez surgiu impassível de detrás de algumas árvores cujas folhas verdes tremiam cintilantes.

Ao vê-lo, senti meu peito se agitar. Omi despira sua camisa, só usava uma camiseta muito alva, sem mangas. A pele morena contrastava com o branco puro da roupa, demonstrando asseio. Era uma brancura cujo odor podia ser sentido de longe. O contorno bem definido do peito e os dois esculpidos em relevo no gesso.

— O exercício na barra horizontal?

Perguntou ao professor com rudeza, mas cheio de confiança.

— É, isso mesmo.

Então, esticou sem pressa as mãos até a areia, mostrando a habitual preguiça arrogante dos que são donos de um porte físico de provocar inveja. Passou as palmas das mãos pela areia úmida do chão e, esfregando-as com vigor, ergueu a fronte rumo à barra de ferro. Em seu olhar faiscava a resolução de um sacrílego, os olhos abrigavam na frieza de seu desdém as nuvens e o céu azul de maio refletidos fugazmente nas pupilas. Um salto trespassou seu corpo. De súbito, os braços, que bem poderiam exibir tatuagens de âncoras, suspendiam seu corpo na barra.

— Oh!

As exclamações dos colegas pairavam com intensidade no ar. No fundo, todos sabiam, porém, que não aclamavam seu feito de força. Eram exaltações à juventude, à vida, à superioridade. A abundância de pelos revelados sob as axilas despidas assustou-os. Era provavelmente a primeira vez que os meninos viam tamanha profusão de pelos, algo que parecia desprovido de utilidade, como o mato impertinente que viceja no verão. Como a erva daninha que, insatisfeita em apenas cobrir o jardim por completo, sobe pelas escadas de pedra, os pelos transbordavam daquelas fundas axilas esculpidas e se espalhavam espessos pelos dois lados do tórax. Banhados pelo sol, aqueles dois negros matagais brilhavam com lustro, e a pele surpreendentemente alva parecia um banco de areia branca despontando entre eles.

Os músculos dos braços saltavam rígidos, e quando seus ombros cresciam como nuvens de verão, os matagais de suas axilas eram engolidos pelas escuras sombras, desaparecendo de vista. No alto, o peito de Omi roçou na barra, estremecendo-a sutilmente. Ele repetiu algumas vezes aquelas flexões.

A força da vida — foi tão somente sua abundância fútil que prosternou os meninos. A sensação de excesso contida nela, uma sensação de violência sem propósito, que poderia ser explicada apenas como a vida existindo em prol de si mesma, foi esse tipo de exuberância desagradável, calculista, que os esmagou. Sem que ele próprio se desse conta disso, uma força vital invadia a carne de Omi, dominava-o, penetrando e dilacerando, transbordava dele e tramava suplantá-lo. Nisso assemelhava-se a uma doença. Sua carne, infectada por tamanho poder, fora posta neste mundo apenas para entregar-se ao sacrifício desvairado. Aos olhos daqueles que temiam a infecção, aquela carne sem dúvida parecia uma amarga reprimenda. Vacilantes, os meninos recuavam.

Sentia-me da mesma forma, mas com algumas diferenças. No meu caso (e este fato foi suficiente para deixar meu rosto em chamas), tive uma ereção no instante em que vi toda aquela exuberância. Como eu vestia uma calça leve de meia-estação, minha preocupação era que os outros pudessem perceber alguma coisa. Mesmo pondo de lado esse receio, não foi apenas pura alegria que me invadiu naquele momento. Estava vendo justamente o que desejava ver, e o choque que aquilo me provocou trouxe à tona um outro tipo inesperado de sentimento.

Era ciúme...

Como alguém que acabara de realizar algum feito nobre, seu corpo pousou pesadamente no chão de areia. Fechei os olhos e sacudi a cabeça. E disse a mim mesmo que não o amava mais.

Era ciúme. Ciúme tão intenso a ponto de me fazer renunciar espontaneamente ao amor de Omi.

O provável era que a isso se juntasse a necessidade, que nascia dentro de mim à época, de autodisciplinar-me segundo o método espartano. (O fato de estar escrevendo este livro já é um sinal dessa necessidade.) Graças à minha saúde frágil e aos cuidados excessivos que recebera desde bebê, tornara-me uma criança tomada de escrúpulos até para olhar alguém nos olhos. Mas foi a partir dessa época que a máxima "devo ser forte" começou a me obcecar. E, com o intuito de segui-la, descobri que um bom treino era ficar encarando fixamente esse ou aquele passageiro dentro do trem, tanto na ida como na volta da escola. Incomodadas, as pessoas apenas viravam o rosto, sem demonstrar nenhum medo por estarem sendo encaradas por um menino frágil e pálido. Eram raros aqueles que me encaravam também. "Ganhei", pensava comigo mesmo quando desviavam o olhar. Desse modo, pouco a pouco, tornei-me capaz de olhar as pessoas de frente...

Eu, que pusera na cabeça que renunciara ao amor, de todo modo o esquecera. Logo se via que havia sido uma decisão precipitada. Não levara em conta o mais evidente sinal de amor: a ereção. Por um bom tempo, tive minhas ereções involuntárias e, também por um bom tempo, sem consciência do que fazia, entreguei-me àquele "mau hábito", ao qual era induzido quando me encontrava sozinho. Sobre sexo já sabia o trivial, mas ainda não fora incomodado por qualquer ideia de discriminação.

Não quero dizer, porém, que acreditava serem normais meus desejos inusitados, fora dos padrões ortodoxos, ou que me iludia pensando que todos os meus amigos os tinham. Surpreendentemente, devido a minhas leituras de histórias românticas, e tal qual uma donzela ignorante deste mundo, eu entretinha os mais diversos sonhos dourados acerca do amor, do casamento entre homem e mulher. Lancei minha paixão por Omi na pilha de lixo dos enigmas abandonados, sem me indagar sobre o seu sentido mais profundo. Hoje, quando escrevo "amor", "paixão", não significa que sentisse tudo isso naquela época. Nem em sonho imaginava que meus desejos de então pudessem ter alguma relação importante com minha "vida".

De todo modo, minha intuição ditava o isolamento. E isso se manifestava na forma de uma estranha e inexplicável aflição. Já disse antes que desde a infância tinha uma forte preocupação quanto a tornar-me adulto. E a sensação de estar crescendo continuou se fazendo acompanhar de uma esquisita e penetrante ansiedade. Naquela época, as calças compridas eram costuradas com uma barra enorme dobrada para dentro, porque as crianças espichavam e a cada ano era preciso baixá-la. Como é comum em qualquer família, eu marcava minha altura a lápis num dos pilares da casa. Fazia-o na sala de estar, diante de todos, e cada vez que a marca subia, mexiam comigo ou apenas se alegravam com o fato. Eu forçava um sorriso. Imaginar que atingiria a estatura de um adulto, no entanto, fazia-me inevitavelmente pressentir um perigo amedrontador. Se, por um lado, essa vaga inquietude em relação ao futuro aumentava minha capacidade de devanear, desprendendo-me da realidade, por outro, conduzia-me ao "mau hábito", o que, por sua vez, me fazia buscar refúgio nos devaneios. A inquietude era meu pretexto...

— Com certeza, você não passa dos vinte.

Era como meu amigo caçoava de mim, vendo minha fragilidade.

— Você diz coisas horríveis!

Mas, esboçando um sorriso amargo no rosto, eu me sentia estranhamente atraído por aquela doce e sentimental profecia.

— Vamos apostar?

— Mas desse jeito eu não tenho outra opção além de apostar que vou viver — respondi —, se você aposta o contrário.

— É isso mesmo. Eu sinto muito. Você vai perder!

Ele repetia aquelas palavras com a crueldade própria de um menino.

Não era só no meu caso; sob as axilas de todos os colegas do mesmo ano não se viam ainda pelos tão profusos como nas de Omi. Nada mais do que uma penugem incipiente dava sinal de existência. Isso não significa que, até aquele dia no ginásio, eu observasse com especial atenção aquela parte do meu corpo. Foram decerto as axilas de Omi que me incutiram essa ideia fixa.

Quando tomava banho, passei a ficar horas diante do espelho. Ele refletia sem compaixão meu corpo nu. Era como o patinho que estava convencido de que poderia ser um cisne quando crescesse. No meu caso, porém, o heroico conto infantil teria o desfecho contrário. Quando meus ombros se pareceriam com os de Omi? Quando seria o meu peito igual ao dele? À medida que tentava extrair à força essa esperança das imagens refletidas de meus ombros estreitos, que em nada lembravam os de Omi, do tórax murcho, incomparável ao dele, uma inquietude recobria-me o coração como uma fina camada de gelo. Mais do que inquietude, era um tipo de convicção masoquista, como se baseada em revelação divina: "Jamais vou me parecer com Omi".

Nas xilogravuras ukiyoye do período Guenroku, as características de um casal de amantes exibem com frequência uma semelhança surpreendente. O ideal universal de beleza das esculturas gregas também se aproxima da semelhança entre homens e mulheres. Não haverá aí um sentido oculto de amor? Será que nos recônditos desse amor não se aninha o desejo inalcançável da exata semelhança entre os amantes? Não seria essa a ambição que move as pessoas e as conduz à trágica alienação de desejar que o impossível se torne possível a partir do extremo oposto? Em outras palavras, sendo o amor entre duas pessoas incapaz de se tornar semelhança mútua, não existiria um processo mental mediante o qual elas buscam enfatizar sua dessemelhança, valendo-se disso como uma forma de flerte? Infelizmente, ainda que alcançada, a semelhança mútua não passará de ilusão momentânea. E isso porque, mesmo que a menina se torne audaciosa e o menino, reservado, em algum momento eles se cruzarão a caminho do extremo oposto, ultrapassando o ponto almejado em direção à outra margem — ao além desprovido de parâmetros.

Sob a ótica desse sentido oculto, meu ciúme, embora violento o bastante para convencer-me a renunciar ao amor, ainda assim era amor. Passei a amar as "coisas semelhantes às de Omi" que pouco a pouco brotavam acanhadas, cresciam sob minhas axilas, tornando-se cada vez mais escuras...

Chegaram as férias de verão. Apesar de tê-las esperado com impaciência, no fim tornaram-se um entreato interminável: faminto, ansiei por elas, mas não passaram de um banquete em que não me sentia bem.

Desde que contraíra uma leve tuberculose na infância, o médico me proibira a exposição a raios ultravioleta intensos. Tomar banho de sol por mais de trinta minutos na praia era um veneno. Toda vez que violava essa regra, a febre de pronto me punia. Eu, que tampouco podia participar das aulas de natação na escola, até hoje não sei nadar. Relacionada ao fascínio pelo mar que cresceu em mim de forma obstinada em anos posteriores, por vezes empurrando-me, estremecendo-me com violência, essa minha incapacidade ganharia novo significado.

Falo de uma época, porém, em que ainda não havia deparado com a tentação arrebatadora do mar. Ainda assim, a fim de não me aborrecer no verão — estação com a qual eu era totalmente incompatível e que, além disso, despertava-me desejos inexplicáveis —, passei as férias numa praia com minha mãe, meu irmão e minha irmã...

Ao dar por mim, percebi que haviam me deixado sozinho no rochedo.

Pouco tempo antes, eu fora com minha irmã e meu irmão até os pés daquele penhasco, à procura dos peixinhos que lampejavam por entre as rochas à beira-mar. Não conseguimos pegar tantos quanto imaginávamos, e os dois começavam a se enjoar da brincadeira. Uma empregada veio nos chamar, para levar-nos ao guarda-sol onde minha mãe se encontrava. Com um semblante pouco amistoso, recusei-me a acompanhá-la, e ela me deixou sozinho, levando consigo apenas os dois pequenos.

O sol da tarde de verão batia em cheio na superfície do mar, sem dar trégua. A baía toda era um gigantesco e vertiginoso espetáculo. No horizonte, as nuvens de verão pairavam caladas, com metade de suas formas magníficas, tristonhas, proféticas, imersas nas águas. Seus músculos eram pálidos como alabastro.

Dois ou três barcos a vela, lanchas e vários botes de pesca que haviam partido da praia moviam-se hesitantes mar adentro. Fora as pessoas a bordo, não se via outra forma humana. Um silêncio sutil pairava sobre tudo. A brisa marítima, estampando no rosto segredos delicados, fantasiosos, trouxe aos meus ouvidos o bater invisível de asas, como o de alegres insetos. A costa era formada ali por rochas planas, dóceis, que avançavam para o mar. Havia apenas dois ou três penhascos escarpados como aquele onde me sentara.

As ondas se formavam no mar alto, inflando-se em incertas formas verdes, e vinham deslizando sobre a superfície da água. Dela sobressaíam rochedos mais baixos, que, como mãos brancas em busca de socorro, elevavam borrifos espumantes e, ainda resistindo, mergulhavam na profunda sensação de abundância, como se sonhassem boiar livres de amarras. Logo uma onda os deixou para trás e se aproximava da praia sem perder velocidade. Então, de dentro de sua murça verde algo despertou e se ergueu, revelando a lâmina afiada do gigantesco machado do mar, pronta a desferir seu golpe. De repente, aquela guilhotina azul-escuro despencou, jorrando brancos respingos de sangue. O dorso da onda perseguia a crista esfacelada, refletindo o azul cristalino do céu, aquele azul inexistente neste mundo, que se projeta nas pupilas de alguém no limiar da morte... Os rochedos lisos e carcomidos, antes visíveis, esconderam-se nas espumas brancas durante a breve investida, mas agora tornavam a cintilar com os resquícios da onda batendo em retirada. Do alto do rochedo, vi bernardos-eremitas cambaleando e caranguejos imóveis sob o brilho ofuscante.

Uma sensação de solidão logo se misturou às lembranças de Omi. Relato a seguir como isso se manifestou. Eu ansiava por me aproximar da solidão que transbordava da vida de Omi, de seu isolamento, obra do destino; imitava-o agora, desfrutando da solidão daquele momento, a qual, em aparência, assemelhava-se um pouco à dele: o vazio que sentia diante da plenitude do mar. Devia, sozinho, fazer ambos os papéis, o dele e o meu. Para isso, tinha de encontrar algum ponto em comum entre nós, por ínfimo que fosse. Dessa maneira, a solidão inconsciente que ele carregava eu a sentiria por ele, e poderia, consciente, agir como se tal isolamento estivesse repleto de deleite, realizando enfim a fantasia segundo a qual o prazer que eu sentia ao vê-lo se transformaria no prazer que o próprio Omi sentiria.

Desde que começara a ficar obcecado pela pintura de são Sebastião, eu adquirira o hábito de cruzar os braços sobre a cabeça toda vez que me encontrava despido. Meu corpo frágil não tinha nem a sombra de sua exuberante beleza. Agora, porém, sem querer, via-me de novo naquela pose. Meus olhos focalizaram as axilas. E fui acometido por um incompreensível desejo sexual.

Juntamente com o verão haviam chegado os primeiros rebentos daquela mata negra, que nem se comparava à de Omi, é verdade. Ali estava o ponto em comum entre mim e ele. Sem dúvida, sua presença era patente em meu desejo sexual. Mas tampouco podia negar que meu desejo relacionava-se também com minhas próprias axilas. Naquele momento, a brisa marítima que fazia minhas narinas estremecerem, a luz intensa do verão que brilhava, provocando uma ardência em meus ombros e peito nus, o fato de não ver nenhuma forma humana até onde a vista alcançava — a junção de tudo isso me fez recorrer ao "mau hábito", pela primeira vez ao ar livre, sob o céu azul. Escolhi minhas próprias axilas como objeto de desejo...

Estremeci tomado por uma tristeza inusitada. A solidão queimava-me feito o sol. O maiô azul-marinho de lã grudara em meu abdômen, provocando uma sensação desagradável. Desci vagaroso o rochedo e mergulhei meus pés na água. As marolas lhes davam o aspecto de conchas brancas mortas, e vi com nitidez o fundo do mar forrado delas, tremulando com as enciclias. Ajoelhei-me dentro da água. Nesse instante, uma onda quebrava e rugia grosseira em minha direção; atingiu-me no peito e rendi-me a ela, que me envolveu quase todo com seus respingos.

Ao recuar, senti-me lavado de minha impureza. Junto com meus incontáveis espermatozoides, os inúmeros microrganismos, as sementes de plantas marinhas e as ovas de peixe, ela havia sido engolida e levada pelo mar espumante.

Quando chegou o outono e, com ele, o novo semestre escolar, Omi não estava lá. No quadro de avisos, afixaram um comunicado informando de sua expulsão.

De imediato, todos os colegas da nossa série, sem exceção, começaram a comentar os delitos que ele cometera, lembrando o povo após a morte de um tirano. "Emprestei dez ienes a ele, e nunca me devolveu"; ou "ele me tomou à força a caneta-tinteiro importada, rindo de mim"; ou "quase me estrangulou"... Em contraste com aqueles atos repudiáveis que cada um dizia ter sofrido, somente eu não conhecera sequer um único gesto de sua perversidade, o que me enlouqueceu de ciúme. Meu desespero só era amenizado pelo fato de não haver uma explicação conclusiva e concreta a respeito da causa de sua expulsão. Nem mesmo aquele aluno esperto, bem-informado, presente em toda a escola, conseguiu averiguar a razão do que lhe acontecera. Como era de esperar, os professores apenas diziam com um sorriso sugestivo nos lábios: "Fez coisas erradas".

Apenas eu possuía certa convicção mística da maldade dele. Sem dúvida, Omi era parte de uma enorme conspiração, da qual nem ele próprio tinha suficiente conhecimento. Era a compulsão para o "mal" que havia sido instigada em sua alma, o sentido de sua vida, seu destino. Pelo menos era o que eu achava...

Mas o sentido desse "mal" tomou uma forma diferente dentro de mim. Aquela enorme conspiração de que ele era parte, no interior de uma sociedade secreta de organização intrincada, com suas manobras subterrâneas planejadas em minúcias, haveria de ser algo em prol de um deus proibido. Omi servira a ele, tentara converter outras pessoas, fora denunciado anonimamente e executado em segredo. Num entardecer, o haviam despido e levado à mata no topo da colina. Lá, suas mãos foram amarradas no alto da árvore, a primeira flecha atravessou a lateral do abdômen; a segunda, sua axila.

Meus pensamentos avançavam. Lembrando sua figura agarrada à barra de ferro, pronta a exercitar-se nela, eu não tinha dúvida de que, acima de tudo, aquela imagem era a mais adequada para me fazer lembrar de são Sebastião.

No quarto ano do ginásio, fiquei anêmico. Meu rosto tornava-se cada vez mais pálido, as mãos tinham a cor da grama sem vida. Depois de subir escadas íngremes, precisava me agachar e descansar por um tempo. Era como se um redemoinho de neblina alva descesse rodopiando sobre minha nuca, cavando ali um buraco e fazendo-me quase desmaiar.

Minha família me levou ao médico. Seu diagnóstico foi anemia. Era um senhor engraçado, íntimo da família. Quando questionado sobre detalhes da tal doença, respondeu: "Bem, vamos à explicação consultando o manual". Terminado o exame, eu estava ao seu lado. Os adultos, de frente para ele. Eu podia espiar a página do livro que o médico lia em voz alta, mas eles não.

— Bem, vejamos a etiologia... As causas da doença, compreendem? Hum, ancilóstomos são os grandes causadores. Talvez seja esse o caso do menino. É preciso fazer um exame de fezes, viu? Tem também a clorose, mas é muito rara, e além disso é doença de mulher...

Nesse ponto, o médico pulou a causa seguinte, resmungando-a apenas para si, e fechou o livro.

Eu, no entanto, pude ver qual a etiologia que ele não lera em voz alta. Era masturbação. Podia sentir meu coração bater acelerado de vergonha. O médico sabia muito bem qual era a causa da minha anemia.

Receitou-me injeções de arsênico. Essa droga, que age na produção do sangue, curou-me em pouco mais de um mês.

Quem poderia saber, porém, que minha falta de sangue e meu desejo por ele tinham uma relação recíproca singular?

A escassez congênita de sangue plantara em mim o impulso de sonhar com seu derramamento. Esse impulso, por sua vez, fazia-me perder ainda mais sangue, aumentando meu desejo por ele. A vida de devaneios que consumia meu corpo exercitou e aguçou minha imaginação. Eu ainda não conhecia as obras de Sade, mas a descrição do Coliseu em *Quo vadis?* impressionara-me tão profundamente que me fizera inventar um teatro de assassinatos. Nele, para minha diversão, jovens gladiadores romanos ofereciam suas vidas. E além de esvair-se em sangue, tinham de seguir certos rituais. Meu interesse estava voltado às mais variadas formas de pena de morte e instrumentos de execução. Aparelhos de tortura e forcas ficavam de fora, porque não resultavam em sangue. Tampouco gostava de armas de fogo, como pistolas ou espingardas. Escolhia as mais primitivas e selvagens, como flechas, adagas, lanças. E a fim de prolongar a agonia, a região do ventre era o alvo almejado. Era preciso que o sacrifício provocasse gritos longos, tristes, patéticos, que fizessem sentir a indizível solidão da existência. Então, minha alegria de vida se inflamava, clamando, respondendo àqueles gritos. Não terá sido essa mesma alegria que os homens em tempos remotos sentiam nas caçadas?

Soldados gregos, escravos brancos da Arábia, príncipes de tribos selvagens, ascensoristas de hotéis, garçons, valentões musculosos, oficiais do Exército, jovens de circo, todos foram abatidos por minhas armas imaginárias. Eu era como um daqueles saqueadores selvagens que, não sabendo amar, acabam por matar a pessoa amada. Beijava os lábios ainda trêmulos dos que haviam tombado. Baseado numa coisa e noutra, inventei um instrumento de execução: de um dos lados de um trilho, uma cruz; do outro, uma tábua grossa de madeira, cravejada de dezenas de adagas formando uma figura humana e deslizando em direção à cruz. Tinha uma verdadeira fábrica de execuções, onde brocas mecânicas que varavam corpos humanos sempre estavam em operação, onde o suco do sangue era adoçado, engarrafado e posto à venda. Muitas vítimas, com as mãos amarradas às costas, eram levadas ao Coliseu do imaginário daquele ginasiano.

Sentia dentro de mim um estímulo cada vez mais forte, e cheguei a devanear algo que pode ser considerado a pior das coisas de que um homem é capaz. A vítima, como era de esperar, era um colega de turma, um nadador habilidoso, dono de um admirável porte físico.

O local era um porão. Um banquete secreto estava sendo oferecido. Sobre a toalha de mesa de um branco imaculado, resplandeciam candelabros elegantes; facas e garfos de prata enfileiravam-se à direita e à esquerda dos pratos. Havia também os habituais arranjos de cravos. Apenas o espaço demasiado grande deixado no centro da mesa causava estranhamento. Sem dúvida, um prato muito grande seria servido.

— Ainda não?

A pergunta era de um dos comensais. Não pude ver seu rosto por causa da escuridão, mas o timbre de voz era solene, de um homem idoso. Aliás, não podia enxergar o rosto de nenhum dos presentes devido à penumbra. Somente mãos alvas se projetavam sob a luz, manipulando reluzentes facas e garfos de prata. Pairava no ar um murmúrio que ora lembrava uma incessante conversa em voz baixa, ora vozes que falavam sozinhas. Era um banquete fúnebre no qual, além do ocasional ranger das cadeiras, não se distinguiam outros sons.

— Acho que logo, logo ficará pronto.

Respondi, obtendo apenas um silêncio lúgubre. Percebi que todos haviam ficado descontentes com minha resposta.

— Gostariam que eu fosse dar uma olhada?

Levantei-me e abri a porta da cozinha. Lá, num canto, havia uma escada de pedra que levava para o piso térreo.

— Ainda não?

Perguntei ao cozinheiro.

— O quê? Logo vai ficar pronto.

Também mal-humorado, ele parecia picar algumas folhas e respondeu-me sem levantar a cabeça. Sobre a enorme mesa feita de tábua grossa, do tamanho de dois tatames, não havia nada.

Do alto da escada, desciam risadas. Ergui os olhos e vi outro cozinheiro descendo, segurando o braço de meu colega, um rapaz robusto. O menino usava calças compridas comuns e uma camiseta azul-marinho que deixava seu peito à mostra.

— Ah, é B, não é mesmo?

Chamei seu nome sem pensar. Ao chegar ao pé da escada, com as mãos enfiadas nos bolsos, ele sorriu para mim com malícia. Então, de súbito, o cozinheiro saltou sobre ele por trás e apertou-lhe o pescoço. O menino resistiu com violência.

"Será que é um golpe de judô? É isso, um golpe de judô... Como se chama mesmo? Isso... Aperte o pescoço... Não vai morrer de verdade. Só vai desmaiar..."

Pensava comigo mesmo, enquanto assistia àquela luta miserável. De repente, o pescoço do jovem pendeu sem vida do braço robusto do cozinheiro. Então, sem nenhum esforço, ele o levantou e depositou sobre a mesa. O outro cozinheiro se aproximou e, com mãos de burocrata, tirou a camiseta, o relógio, as calças, deixando-o rápida e totalmente nu. O corpo despido do menino jazia com o rosto virado para cima e a boca entreaberta. Dei um longo beijo naqueles lábios.

— É melhor de barriga para cima ou de bruços? — perguntou-me o cozinheiro.

— Acho que de barriga para cima.

Assim respondi porque, daquela maneira, o peito, que parecia um escudo da cor de âmbar, ficaria à mostra. O outro cozinheiro puxou da prateleira uma enorme travessa ao estilo ocidental, do tamanho exato para comportar um ser humano. Era estranha, com dez pequenos furos, cinco em cada borda.

— Um, dois, três!

Os dois cozinheiros deitaram o rapaz inconsciente na travessa, de barriga para cima. Assobiando alegremente, passaram uma corda fina pelos buraquinhos das duas bordas e amarraram o corpo com firmeza. Suas mãos ágeis mostravam habilidade. Enfileiraram grandes e vistosas folhas de salada à volta do corpo nu. Por fim, uma faca e um garfo de aço, excepcionalmente grandes.

— Um, dois, três!

Os dois ergueram a travessa sobre os ombros. Eu abri a porta da sala de jantar.

Fui recebido por um silêncio de boas-vindas. O prato ocupou o espaço que lhe fora reservado na mesa, que cintilava pálida à pouca luz. Voltei ao meu lugar e, de um dos cantos da travessa, ergui com as mãos a faca e o garfo enormes.

— Por onde devemos começar?

Não houve resposta; sentia-se no ar muitos rostos se projetando à volta do prato.

— Aqui deve ser um bom lugar.

Cravei o garfo no coração. Um jato de sangue atingiu-me em cheio o rosto. Empunhando a faca com a mão direita, comecei a cortar sem pressa a carne do peito, primeiro em fatias finas...

Apesar de ter melhorado da anemia, meu mau hábito só piorava. Durante as aulas de geometria, não me cansava de ficar olhando para o rosto do professor, o mais jovem de todos. Ele, de quem se falava que já fora professor de natação, possuía um rosto queimado pelo sol do mar e a voz grossa de um pescador. Num dia de inverno, eu copiava a matéria da lousa com uma das mãos enfiada no bolso. Dali a pouco, sem que me desse conta, meus olhos se desviaram do caderno e seguiam o professor. Subindo e descendo do tablado, ele repetia com sua voz jovem a explicação de um problema difícil de geometria.

Os tormentos do sexo já faziam parte do meu dia a dia. Diante de meus olhos, aquele professor ainda moço transformou-se de repente numa estátua de Hércules nu. Enquanto ele esticava o braço para escrever uma equação, com o giz na mão direita e o apagador na esquerda, enxerguei em suas costas, nas pregas de seu casaco, os sulcos dos músculos de "Hércules distendendo o arco". E acabei praticando meu mau hábito ali mesmo, em plena aula.

Minha cabeça parecia flutuar e, ao sinal do intervalo, saí à quadra de educação física. Meu namorado — também esse um amor não correspondido e estudante repetente — aproximou-se e perguntou:

— Então, você foi ontem à casa de Katakura, dar os pêsames? Como é que foi?

Katakura era um menino bonzinho que morrera de tuberculose e cujo enterro ocorrera dois dias antes. Ao ouvir de um amigo que, depois de morto, seu rosto parecia o de um demônio, fiquei calculando quando seu corpo se transformaria em cinzas, e só depois fui transmitir minhas condolências.

— Não aconteceu nada. Pudera, não passava de um punhado de cinzas — respondi com rispidez, porque não tinha mais nada a dizer, e lembrei-me de um recado que o deixaria lisonjeado:

— Ah, a mãe de Katakura mandou lembranças, várias vezes. Como ela vai se sentir muito só, pediu para você ir visitá-la, sem falta.

— Seu bobo.

Surpreendi-me com o cutucão repentino no peito, forte, mas cheio de carinho. Meu namorado corou de vergonha, atitude própria de menino. Vi seus olhos brilharem com uma intimidade inabitual, olhando-me como a um cúmplice.

— Bobo — repetiu ele. — Você também ficou malicioso, hein?! Com esta sua risadinha insinuante!

Por um tempo, não entendi aquela atitude. Ri também, acompanhando-o, mas demorei um pouco para entender por quê.

Enfim, compreendi. A mãe de Katakura era uma viúva ainda jovem e bela, de corpo esguio.

Mais do que isso, porém, o que me fez sentir ainda pior nessa minha lentidão foi o fato de ela não ser necessariamente produto da ignorância, e sim da diferença clara entre nossos focos de interesse. O vazio, a distância que senti, nada mais era do que a raiva pela descoberta tão tardia de algo que eu deveria ter previsto. Nem cogitara qual seria sua reação diante do recado da mãe de Katakura; quisera apenas, inconscientemente, ganhar sua simpatia transmitindo-lhe o convite. Contudo, a feiura daquela minha infantilidade, comparável aos vestígios de lágrimas secas no rosto choroso de uma criança, me fez perder as esperanças.

Por que não posso continuar sendo do jeito que sou? Estava muito cansado para tornar a me fazer a pergunta que já me fizera milhões de vezes. Estava farto de mim mesmo e, ainda casto, deixava-me arruinar. Achava que *me esforçando* (que meiguice!) poderia escapar dessa situação. Não sabia ainda que o que me cansava era uma parte de minha vida; acreditava que os devaneios me enfastiavam, e não a vida em si.

Esta última exigia que eu começasse a vivê-la. Era *minha própria* vida que assim me pressionava? Ainda que não fosse, chegara o momento de partir, de levar adiante meus pesados pés.

3.

Todos dizem que a vida é como um palco. Não acho, porém, que haja muitas pessoas como eu, que, desde o final da infância, tenham tido a consciência de que a vida é, de fato, um palco. Já estava convencido disso, mas a essa certeza misturava-se a ingenuidade de minha pouca experiência. Embora algo em mim suspeitasse de que eu podia estar errado, tinha uma certeza quase absoluta de que todos partiam para a vida daquela maneira. Acreditava com otimismo que, terminada a representação, a cortina se fechava. A ideia de que morreria logo fazia parte dessa crença. Mais tarde, no entanto, esse otimismo, ou melhor, esse devaneio sofreria violenta desilusão.

Por precaução, devo acrescentar que não estou me referindo aqui a uma questão de sensibilidade pessoal exacerbada. Falo simplesmente de desejo sexual: neste momento, é apenas disso que se trata.

Desde o início, embora se possa dizer que o estudante atrasado seja produto de características congênitas, eu queria acompanhar meus colegas de classe e, para tanto, utilizava-me de certos expedientes. Ou seja, durante os exames, copiava às escondidas as respostas de meus amigos, sem entender o que estava escrevendo, e entregava cada prova com ar de inocente. Esse método tacanho e desavergonhado por vezes alcança bons resultados, e o aluno passa de ano. Mas as aulas avançam, presume-se que a matéria do ano anterior tenha sido bem assimilada, e só aquele aluno fica perdido. Está presente nas aulas, mas não entende nada. A essa altura, só lhe restam dois caminhos a seguir: ou se perde de vez ou empenha-se ao máximo em fingir que está entendendo. É a qualidade, e não a quantidade, de sua fraqueza e de sua coragem que determinará o rumo a tomar. Por onde quer que vá, precisará da mesma dose de ambas. E, nos dois casos, uma espécie de sede poética e eterna de preguiça é necessária.

Certo dia, juntei-me a um grupo de colegas que caminhava ao longo do muro externo da escola, comentando ruidosamente o boato de que um de nossos amigos, ausente naquele momento, parecia estar apaixonado pela condutora do ônibus que o trazia e levava. Não demorou para que a fofoca se tornasse uma discussão teórica: o que será que ele vira numa motorista de ônibus, a ponto de se apaixonar? Então, num tom frio, calculado, como se deitasse fora as palavras, respondi:

— É aquele uniforme. Deve ser porque fica bem justo no corpo.

Claro que nunca sentira qualquer atração sexual por aquelas condutoras. Fizera uma analogia — pura analogia. Apenas a vontade de me gabar, própria da idade, de opinar como um adulto, um libidinoso indiferente, me fizera falar daquele jeito.

A reação dos colegas foi imediata. Era um grupo de estudantes moderados, do tipo que vai bem na escola e exibe conduta irrepreensível. Foram unânimes:

— Puxa! Você é experiente mesmo, hein?

— Bom, alguém sem experiência não poderia dizer uma coisa assim.

— Nossa, dá até medo de você!

Ao deparar com reações tão inocentes e excitadas, achei que o veneno surtira demasiado efeito. Poderia ter dito a mesma coisa de um jeito um pouco mais sério, com menos ostentação, menos alarde, o que talvez me revelasse uma pessoa mais profunda. Nisso, me arrependi, achando que deveria ter sido um pouco mais comedido.

Quando um menino de quinze, dezesseis anos descobre sua introspecção, toma consciência de si próprio, o erro mais comum que comete é o de se comparar aos outros e pensar que só nele há algo de sólido, maduro, se formando, e que por isso mesmo ele é capaz de um controle maior. Não é bem assim. No meu caso, não passava de insegurança, de minha incerteza demandando o rápido controle da consciência. Minha consciência não passava de uma ferramenta de distorção, e meu controle, de conjecturas incertas, pura adivinhação. De acordo com a definição de Stephan Zweig, "o que chamam de demoníaco é a instabilidade (*Unruhe*) inerente a todas as pessoas, que as lança para fora e para além de si mesmas, em direção a algo sem limites". E isso é "como se a natureza, de dentro de seu caos passado, tivesse legado à nossa alma uma porção inextirpável de instabilidade", que provoca tensão e "tenta retornar aos elementos sobre-humanos e suprassensoriais". Quando a consciência só é chamada a explicar e interpretar, é plausível que as pessoas não necessitem dela — ou não, ao menos, da introspectiva consciência de si.

Apesar de não me sentir nem um pouco atraído sexualmente por condutoras de ônibus, era natural que me sentisse superior, que me preenchesse esse perverso sentimento humano diante do efeito que minhas palavras nada comedidas, resultantes de mera analogia, produziram em meus amigos, deixando suas faces vermelhas de vergonha e, ao que parecia, excitando-os também, graças à capacidade de fazer associações própria da adolescência. Mas meus sentimentos não pararam por aí. Agora era minha vez de ser enganado. Aquela sensação de superioridade arrefeceu aos poucos, distorcida. Aconteceu assim:

Parte desse sentimento se transformou em presunção, embriagou-me da ilusão de que eu estava um passo à frente das pessoas. Quando, então, uma parte desse estado de embriaguez se desfez com mais rapidez do que o restante, logo cometi o erro de computar tudo com a consciência lúcida, desconsiderando o fato de que parte de mim ainda estava embriagada. Assim, o inebriado "estou à frente dos outros" foi corrigido para um modesto "não, eu também sou um ser humano igual a todos", e graças ao erro de cálculo expandiu-se ainda para um "é isso mesmo: sou igual aos outros em todos os aspectos" (obra da embriaguez, que permitiu e deu suporte a essa expansão). Por fim, fui levado à conclusão insolente de que "qualquer um é assim mesmo". Minha consciência se empenhara como ferramenta de distorção...

Completara-se, assim, minha autossugestão. Essa autossugestão irracional, tola, forjada, essa farsa descarada que eu próprio percebia dominava pelo menos noventa por cento da minha vida. Acho que não existe pessoa mais suscetível a tais fenômenos do que eu.

Deve estar claro até mesmo aos leitores deste livro. Era muito simples a razão pela qual, ainda que num grau mínimo, eu fora capaz de usar palavras sensuais em relação à condutora de ônibus. E, no entanto, eu não percebera justamente isto... Era uma razão de fato muito simples: em se tratando de mulheres, eu não sentia aquele acanhamento inato que todos os meninos sentem.

A fim de escapar da acusação de que estou apenas analisando o "eu" daquela época sob a ótica do "eu" do presente, transcrevo abaixo um trecho do que escrevi aos dezesseis anos:

... Ryotaro juntou-se sem hesitar ao grupo de colegas desconhecidos. Acreditava que podia sair daquela melancolia infundada, daquele tédio em que mergulhara, sendo, ou fingindo ser, ao menos um pouco alegre. A crença cega, o requisito primordial da fé, deixara-o num estado de repouso incandescente. Sempre que participava de brincadeiras ou travessuras de mau gosto, ficava pensando: "Neste momento não estou deprimido nem entediado". Chamava isso de "esquecer as aflições".

As pessoas em geral estão sempre em dúvida — será que sou feliz, será que isso pode ser chamado de alegria? Como a dúvida é algo inevitável, esse é o legítimo modo de ser da felicidade.

Apenas Ryotaro define-se como "alegre" e convence a si próprio de que é verdade.

Assim sendo, os corações das pessoas tendem a acreditar naquela sua "alegria inquestionável".

Por fim, algo vago mas real é confinado na poderosa máquina de falsidades. Ela começa a funcionar a todo vapor. E ninguém percebe que ele está dentro de uma "sala de autoengano"...

"... A máquina começa a funcionar a todo vapor..." Não estava funcionando a todo vapor? Uma falha comum na infância é acreditar que se pode satisfazer o demônio transformando-o em herói.

Aproximava-se, pois, a hora de eu partir para a vida, fosse como fosse. Meu conhecimento prévio para essa jornada consistia basicamente nos muitos romances que lera, numa enciclopédia sobre sexo, nos livros próprios da puberdade que circulavam entre os colegas e num monte de piadas sujas e ingênuas que ouvira nas noites de treinamentos de campo. Acima de tudo, a curiosidade, que me consumia em chamas, era minha mais fiel companheira de viagem. Bastava sair pelo portão, decidido a ser uma "máquina de falsidades".

Pesquisei muitos romances a fundo, investigando como os seres humanos da minha idade viam a vida, como conversavam consigo mesmos. Eu, que não tive a experiência de morar num dormitório, de fazer parte do grêmio de educação física; além disso, em minha escola havia muitos esnobes que, passada a idade daquele despretensioso "jogo sujo", raramente se envolviam com assuntos vulgares; e, por fim, eu era extremamente tímido. Somadas todas essas circunstâncias, tinha dificuldade em sondar os colegas, saber, de rosto lavado e sem pintura, o que pensavam. Precisei, assim, partir da regra geral para, a partir daí, deduzir como se sentiam "meninos de minha idade" quando sozinhos. A julgar pela curiosidade ardente, parecia que aquela fase de nossas vidas chamada adolescência fazia uma visita a seus doentes. Chegada a puberdade, os meninos, obcecados, só pensam em mulheres, espremem espinhas, estão sempre de cabeça quente e escrevem poemas açucarados. Considerando que os estudos sobre sexo mencionavam com frequência os danos causados pela masturbação, e não obstante certos livros tranquilizassem os leitores a respeito dela, afirmando que não fazia mal nenhum, tudo indicava que, a partir daquela fase, todos se entregavam com entusiasmo à sua prática. Também nisso eu era *completamente igual* a meus colegas! Mas, apesar dessa igualdade, meu autoengano fazia vistas grossas em relação à clara diferença entre nossos objetos de desejo.

Em primeiro lugar, a impressão era de que eles ficavam muito excitados à simples menção da palavra "mulher". Bastava um pensamento fugaz, e suas faces coravam. Eu, de minha parte, achava tão *sensuais* palavras como "lápis", "automóvel", "vassoura", quanto a palavra "mulher". Essa incapacidade de associar certas ideias manifestava-se mesmo quando eu conversava com amigos, como ocorreu no caso da mãe de Katakura, rendendo-me à fama de ser incoerente, de dizer coisas sem pé nem cabeça. Achavam que eu era um poeta e ponto final. Eu não queria de modo algum que pensassem assim (porque os poetas eram um tipo de gente sempre desprezado pelas mulheres); então, para conseguir conversar de forma coerente com todos, desenvolvi artificialmente aquela capacidade de associação.

Além disso, eu não sabia que a diferença entre mim e eles era nítida não apenas em relação à sensibilidade interior, mas também no que se refere a sinais exteriores, ocultos aos olhos. Ou seja, ao verem fotos de um nu feminino, logo tinham uma ereção. Apenas no meu caso isso não acontecia. E tampouco sabia que o objeto capaz de produzir em mim uma ereção (curiosamente, desde o início tais objetos se restringiram para mim àqueles típicos da sexualidade invertida) — por exemplo, um jovem nu esculpido ao estilo jônico — não tinha o menor poder de excitá-los.

No capítulo anterior, escrevi com riqueza de detalhes sobre o *erectio penis*, e o fiz de propósito, com o intuito de explicitar meu desconhecimento. Sim, pois meu autoengano foi estimulado por essa falta de conhecimento. As cenas de beijos nos romances não falavam em ereção. É natural que um romance não chegue a tanto. Mesmo estudos sobre sexo, porém, não mencionavam ereção provocada pelo simples ato de beijar. Eu tinha lido que ereções só ocorriam antes de relações carnais ou a partir de uma imagem mental delas. Achava que quando chegasse o momento aconteceria comigo também, como uma espécie de inspiração dos céus, apesar de eu não sentir nenhum desejo. Mas uma pequena parte de mim continuava a sussurrar baixinho: "só comigo não vai acontecer" — e essa insegurança manifestava-se de diversas formas.

Será que, na prática de meu mau hábito, eu não pensara sequer uma única vez em alguma parte do corpo de uma mulher? Nunca chegara sequer a tentar? Não, nunca. Dizia a mim mesmo que não o fazia por mera preguiça!

Em suma, eu não sabia de nada. Não sabia que nos sonhos dos meninos de todas as noites, exceto nos meus, apareciam meninas, mulheres vistas apenas de relance em alguma esquina da cidade durante o dia, cada qual desfilando nua de um lado para o outro. Que pelos sonhos dos meninos muitas vezes flutuavam os seios de uma mulher, como belas águas-vivas emergindo do mar noturno. Que, neles, aquela preciosa parte do corpo feminino abria seus lábios úmidos e entoava a canção das sereias, dezenas, centenas, milhares de vezes, infinitamente...

Era preguiça? Será que não tinha sonhos assim por preguiça? Essa era minha dúvida. Todo o meu zelo em relação à vida provinha daí. No fim, pus todo esse zelo a serviço daquela preguiça, para garantir que ela permanecesse sempre e apenas isto: preguiça.

Resolvi juntar todas as minhas lembranças relativas às mulheres, desde o princípio. E elas resultaram extremamente medíocres.

Certa vez, lá pelos catorze, quinze anos de idade, aconteceu-me o seguinte. No dia em que meu pai estava se transferindo para Osaka, fomos nos despedir dele na estação de Tóquio e, na volta, alguns parentes passaram em minha casa. Na verdade, fomos acompanhados — minha mãe, minha irmãzinha, meu irmãozinho e eu — por um bom número deles, dentre os quais uma prima em segundo grau, Sumiko. Tinha uns vinte anos e não era casada.

Seus dentes da frente eram um pouco protuberantes. De extrema alvura e beleza, eles brilhavam quando ela sorria, a ponto de ficarmos imaginando se ela não o fazia de propósito, apenas para mostrar aqueles dois, três dentes, e a ligeira protuberância que lhe acrescentava graça ao sorriso, difícil de expressar em palavras. Era um defeito que caía como uma gota de especiaria nas harmoniosas beleza e doçura de seu rosto, de sua silhueta, realçando a simetria, acrescentando um toque de sabor à sua beleza.

Se a palavra amor não é apropriada, posso dizer ao menos que "gostava" dessa prima em segundo grau. Desde a infância, gostava de observá-la à distância. Às vezes ficava horas sentado à toa ao seu lado, enquanto ela fazia um bordado típico japonês.

Naquele dia, depois que minhas tias foram para outra sala no interior da casa, eu e Sumiko permanecemos sentados lado a lado no sofá da sala de visitas, calados. Vestígios do alvoroço da despedida ainda ressoavam em nossas cabeças. Sentia-me exausto.

— Ah, estou cansada.

Ela deu um pequeno bocejo e encobriu levemente a boca com os dedos perfilados, diversas vezes, como num ritual supersticioso.

— Você não está cansado, Koo-chan?

Por alguma razão, ela cobriu o rosto com as duas mangas do quimono, deixando-se cair pesadamente sobre minhas coxas. Então, como se deslizasse vagarosa sobre elas, mudou a posição do rosto e permaneceu imóvel por algum tempo. As calças de meu uniforme estremeceram diante da honra de poder servir-lhe de travesseiro. Os cheiros de seu perfume, de seu pó, deixaram-me confuso. Fiquei perplexo com aquela visão do perfil de seu rosto imóvel, com os olhos cansados, translúcidos, fixos...

Foi tudo o que aconteceu. Mas a lembrança de sentir por um momento aquele peso luxuriante sobre minhas coxas ficou para sempre. Não era um desejo carnal, apenas uma enorme alegria extravagante, como aquela produzida pelo peso de uma condecoração.

Quando ia e voltava da escola, sempre encontrava uma moça anêmica no ônibus. Sua frieza despertou meu interesse. Ela olhava pela janela com fastio, como se tudo a entediasse, e a dureza de seus lábios algo protuberantes sempre atraía meus olhos. Quando ela não estava no ônibus, era como se faltasse algo e, quando me dava conta, via-me embarcando e desembarcando na expectativa de encontrá-la. Fiquei imaginando se aquilo não era o que chamam de paixão.

Simplesmente não sabia. Não conseguia entender de forma alguma como a paixão e o desejo sexual se relacionavam. Aquele fascínio diabólico que Omi exercera sobre mim, eu decerto não o explicava como paixão. Eu, que refletia se não seria amor aquele vago sentimento que nutria pela menina do ônibus, sentia-me *ao mesmo tempo* atraído pelo jovem e rude motorista, cujos cabelos cintilavam de tanta brilhantina. A ignorância não exigia que eu elucidasse essa contradição. No modo como olhava para o rosto em perfil do jovem motorista havia algo de inevitável, sufocante, doloroso, opressivo, enquanto os olhos que volta e meia contemplavam a menina anêmica possuíam, em algum lugar, algo de proposital, de artificial, algo que logo provocava o cansaço. Sem entender a conexão entre aqueles dois olhares, eles coexistiam dentro de mim, sem se importarem um com o outro, sem conflitos.

Para um menino da minha idade, parecia peculiar que me faltasse o interesse pela "limpeza moral", ou seja, que carecesse do talento psicológico para o "autocontrole". Isso talvez se justificasse pelo fato de minha curiosidade demasiado intensa não permitir que eu me voltasse para o interesse moral, mas o fato é que essa curiosidade assemelhava-se também ao anseio desesperançado pelo mundo exterior de um convalescente de longa data, ao mesmo tempo que se entrelaçava de forma inextricável à crença no impossível. Ambos, o desespero e a crença, em parte inconscientes, avivam-me a esperança a ponto de se confundirem com uma ambição inalcançável.

Apesar da pouca idade, eu desconhecia a experiência do sentimento platônico, bem delimitado. Seria uma infelicidade? Mas que sentido tinha para mim a infelicidade comum do mundo? Na prática, a vaga inquietação em relação à sexualidade transformara o mundo carnal em ideia fixa para mim. Especializei-me em convencer a mim mesmo de que aquela pura curiosidade intelectual, não muito distante da sede por conhecimento, era, sim, um desejo da carne. E, mais ainda, tornei-me um mestre em iludir-me, até concluir enfim que era de fato uma pessoa propensa à lascívia. Por conseguinte, assumi os ares afetados de um adulto, de experiente homem do mundo. Exibia o aspecto de alguém *cansado das mulheres*.

E assim foi que fiquei obcecado pelo beijo. Posso dizer hoje que o ato de beijar, na verdade, representava para mim nada menos do que a busca de meu espírito por um refúgio. Naquela época, porém, acreditando erroneamente que se tratasse de desejo sexual, empenhei-me em desenvolver um elaborado disfarce. O sentimento inconsciente de culpa por estar falseando a natureza incitava-me a representar de forma consciente. Por outro lado, eu me pergunto: será que o ser humano consegue trair por completo sua natureza, nem que seja por um só instante?

Aqueles que pensam não ser possível fazê-lo, como explicam eles o misterioso processo mental que nos faz desejar coisas que não queremos? Se eu fosse o oposto do moralista, de alguém que nega aquilo pelo qual anseia, acalentaria então os mais imorais desejos em meu coração? De todo modo, não eram demasiado mesquinhos os meus desejos? Ou iludira a mim mesmo por completo, agindo em todos os sentidos como um prisioneiro das convenções? Chegaria um momento em que me sentiria no dever de investigar essas questões com mais profundidade...

Com o início da guerra, uma onda de estoicismo hipócrita varreu o país inteiro. As escolas secundárias tampouco fugiram a essa regra. Desde que ingressáramos no ginásio não víamos a hora de deixar o cabelo crescer, mas, mesmo no segundo grau, por um bom tempo as circunstâncias não permitiriam que aquele desejo se concretizasse. A moda de usar meias chamativas também era coisa do passado. As horas de treinamento militar aumentaram absurdamente, várias inovações ridículas foram implantadas.

Minha escola, porém, era daquelas que, por tradição, assumia uma hábil postura aparente de conformidade e, por essa razão, continuamos nossa rotina escolar sem sermos tão afetados pelas restrições. O coronel que nos foi designado pelo Ministério de Guerra era um homem compreensivo, assim como o suboficial N, antigo sargento-mor para assuntos especiais, apelidado de sr. Zu devido ao seu sotaque, que o fazia trocar "su" por "zu". Também os companheiros deste último, o sr. Bobão e o sr. Nariz, dono de largas narinas, se amoldaram ao estilo de nossa escola e agiam com tato. Nosso diretor era um velho almirante, de personalidade mais feminina, que, tendo o Ministério da Casa Imperial por escudo, mantinha seu posto agindo com moderação preguiçosa e não comprometedora.

Foi nessa época que aprendi a fumar e a beber. Ou melhor, fingia que fumava e bebia, imitando os outros. A guerra nos ensinou uma maturidade de estranho sentimentalismo. Pensávamos em nossas vidas interrompendo-se na faixa dos vinte anos. Daí em diante, não havia o que pensar. A vida para nós era algo de uma leveza inusitada. Represada justamente na faixa dos vinte, assemelhava-se a um lago salgado cuja densa concentração de sal fazia nossos corpos flutuarem com facilidade. Uma vez que a cortina se fecharia em breve, eu podia representar com mais empenho o teatro de máscaras que escrevera para mim mesmo. "Não passa de amanhã: amanhã sem falta partirei para a jornada da minha vida", pensava comigo, e a cada dia esse amanhã era postergado, os anos se passavam e nem sinal da partida.

Não foi essa uma fase sem igual em minha vida, a que mais prazer me deu? Por mais que insegurança e inquietação seguissem me acompanhando, não passavam de um vulto; eu ainda tinha esperança, podia sempre avistar o amanhã sob o desconhecido céu azul. Devaneios sobre a jornada, visões da aventura que me aguardava, o retrato mental daquele alguém que me tornaria algum dia, a bela noiva que ainda não conhecia, a esperança de fama... Naquela época, todas essas coisas estavam guardadas com cuidado dentro da mala, à espera da partida, como se fossem guia de viagem, toalhas, escova de dentes, pasta dental, mudas de camisa, meias, gravatas, sabonete. Até a guerra proporcionava-me uma alegria infantil. Tampouco a fantasia excessiva, que me fazia acreditar de verdade que não sentiria nenhuma dor, mesmo que uma bala me atingisse, dava sinais de abatimento. Até prever minha morte me fazia estremecer com um prazer desconhecido. Sentia-me dono de tudo. E com razão. Porque não há momento em que nos sentimos mais completamente de posse de uma viagem, até os últimos detalhes, do que naquele em que nos ocupamos de seus preparativos. Depois, na viagem em si, a posse se desfaz. E a jornada é sempre infrutífera.

Com o tempo, minha obsessão pelos beijos fixou-se em um único par de lábios. É provável que tenha me fixado neles apenas para dar ares de nobreza a meu devaneio. Apesar de não os desejar, como já disse antes, fazia de tudo para acreditar que ansiava por eles desesperadamente. Ou seja, confundia o desejo em si com o desejo ilógico de acreditar naquele anseio. Confundia meu desejo ardente, impossível, de não querer ser eu mesmo com o desejo sexual do homem do mundo, aquele que brota do simples fato de ele ser nada menos que ele mesmo.

Nessa época, havia um amigo com quem eu sempre andava, apesar de nem falarmos a mesma língua. Nukada, esse meu frívolo colega, parecia ter me escolhido como o companheiro com quem poderia resolver à vontade, sem cerimônia, suas diversas dúvidas de alemão básico. Eu era considerado bom aluno de alemão *básico*; como sempre, todo começo me entusiasmava. Era bem provável que Nukada intuísse quanto eu ansiava por uma "má reputação" — eu, que era rotulado de "aluno excelente" (algo mais apropriado a estudantes de teologia); e como detestava essa caracterização simplista (embora não houvesse outro rótulo que garantisse minha segurança). Em sua amizade havia algo que provocava cócegas em minha fraqueza. Isso porque Nukada era objeto de muita inveja por parte dos "durões" da escola: por meio dele, ecoavam informações do mundo das mulheres, bem à maneira que a comunicação com o mundo espiritual se dá através de um médium.

Omi fora o primeiro médium a fazer essa intermediação entre mim e o mundo das mulheres. Mas meu "eu" daquela época estava bem mais próximo do que sou, por isso contentava-me em considerar essa sua mediunidade uma de suas belezas. No mesmo papel, porém, Nukada serviu de moldura sobrenatural à minha curiosidade. Uma das razões para isso talvez fosse o fato de ele não ser nem um pouco bonito.

O "par de lábios" que mencionei era o de sua irmã mais velha, que conheci ao visitá-lo.

Essa bela jovem de vinte e quatro anos tratava-me como criança, sem se dar o trabalho de pensar duas vezes. Ao observar os homens que a cercavam, comecei a perceber que eu não possuía uma única característica que atraísse as mulheres. Isso significava que jamais poderia ter me transformado num Omi; por outro lado, convenci-me de que aquele desejo de transformar-me nele era, na realidade, o amor que sentira por ele.

Não obstante, pus na cabeça que estava apaixonado pela irmã de Nukada. Exatamente como agem outros colegiais ingênuos da mesma idade, eu rondava pelos arredores de sua casa, era persistente o bastante para passar horas numa livraria próxima de lá, esperando a oportunidade de abordá-la quando passasse em frente; abraçava almofadas, imaginando qual seria a sensação de ter uma mulher nos braços; quantos não foram os desenhos que fiz de seus lábios, fazia-me perguntas e dava-me respostas como se estivesse fora de mim, fora do mundo. O que significava aquilo tudo? Esses esforços artificiais provocavam-me um cansaço estranho, entorpecedor. Meu lado realista, porém, percebia bem a artificialidade daquela tentativa de persuadir a mim mesmo, daquele esforço incessante por me convencer de que estava apaixonado por ela, e resistia com aquela fadiga maldosa. Parecia haver algum veneno terrível naquele esgotamento psicológico. Durante os intervalos entre tais esforços artificiais da mente, por vezes um vazio sufocante afligia-me e, para fugir dele, avançava sem escrúpulos rumo a outros devaneios. Então, de imediato, sentia a vida pulsar em mim, voltava a ser eu mesmo e incendiava-me diante de anômalas imagens mentais. Aquela chama permanecia em mim como resquício abstrato, e eu distorcia sua interpretação, como se de fato ardesse pela menina. E, mais uma vez, enganava a mim mesmo.

Se houver alguém que me reprove, dizendo que o que tenho exposto até aqui é por demais conceitual, abstrato, a esse alguém só posso responder que não sou capaz de descrever uma adolescência tediosa, que, em seus aspectos exteriores, em nada diferia da de pessoas normais. Excetuando a parte vergonhosa de minha mente, minha adolescência foi idêntica à de outros meninos, até mesmo em meu coração, e, nesse sentido, não diferia em nada deles. Basta imaginar um estudante com menos de vinte anos de idade, notas razoavelmente boas, curiosidade média e um apetite também mediano pela vida; reservado talvez pela simples razão de ser demasiado propenso à introspecção, logo corando ao menor comentário, além do que não se sentia seguro o suficiente em relação à própria aparência para atrair as meninas, agarrando-se com força somente aos livros. E basta imaginar como esse estudante ansiava pelas mulheres, de que forma seu peito ardia, de que forma agonizava em vão. Há algo mais fácil e prosaico de se imaginar? É, pois, natural que eu omita essa descrição entediante, que apenas repetiria, sem tirar nem pôr, o que todos já sabem. Naquela fase incolor de estudante tímido, sentia-me *exatamente igual aos outros*; jurara lealdade ao dramaturgo desse espetáculo chamado adolescência.

Nesse meio-tempo, transferia aos poucos o interesse que antes sentia apenas por rapazes mais velhos aos meninos mais novos também. Mesmo porque, nada mais natural: os menores tinham agora a idade daquele Omi de outrora. Mas essa transferência tinha relação também com a natureza do meu amor. Como antes, ocultei em mim esse novo sentimento, mas ao amor selvagem acrescentei outro, mais refinado e urbano. À medida que eu ia crescendo começou a manifestar-se em mim algo como um amor protetor, aparentado ao amor por meninos.

Ao classificar os invertidos, Hirschfeld denominou *andrófilos* aqueles que só se sentem atraídos por adultos, e *efebófilos* os que amam meninos ou jovens de faixa etária estendendo-se desde a infância até a mocidade. Eu começava a entender estes últimos. Efebo remete à Grécia antiga, significa os jovens cheios de vigor entre dezoito e vinte anos de idade; a etimologia da palavra é a mesma que se encontra no nome de Hebe, a filha de Zeus e Hera, esposa do imortal Hércules. Ela era a copeira dos deuses do Olimpo e símbolo da juventude.

Havia um belo rapaz de apenas dezoito anos que acabara de entrar no colegial. Ele tinha a pele alva, lábios delicados e sobrancelhas levemente arqueadas. Sabia que se chamava Yakumo. Seus traços eram um presente ao meu coração.

Sem o saber, ele me presenteava com momentos prazerosos. Os líderes de cada classe revezavam-se em turnos semanais no comando da reunião matinal dos alunos, da ginástica do período da manhã e dos treinamentos da tarde. (Estes últimos eram obrigatórios no colegial. Em primeiro lugar, fazíamos ginástica por cerca de trinta minutos; depois, pegávamos as enxadas e íamos cavar abrigos antiaéreos ou carpir a grama.) A cada quatro semanas chegava minha vez. No verão, talvez levada pela moda da época, até nossa escola, muito rígida em relação à boa conduta, ordenou que os alunos fizessem a ginástica da manhã e os exercícios da tarde despidos da cintura para cima. O líder dava os comandos da reunião matinal de cima de uma plataforma e, concluindo-os, ordenava: "Tirem os casacos!". Despidos os casacos, ele descia da plataforma e ordenava a reverência ao professor de ginástica, que tomara seu lugar; então, corria para o fim da fila de sua turma, onde também se despia da cintura para cima e juntava-se aos exercícios. Como era o professor quem assumia o comando a partir daí, a tarefa do líder estava terminada. O fato de precisar dar ordens provocava-me pavor a ponto de eu quase sempre sentir calafrios, mas tarefas formais, ao estilo militar, eu conseguia realizar, identificava-me com elas, razão pela qual ficava esperando pela semana de meu turno. E apenas porque, graças a ela, podia ver Yakumo bem diante de meus olhos, podia vê-lo despido da cintura para cima sem temer que observasse minha mísera nudez.

Em geral, ele se postava bem defronte da plataforma, na primeira ou segunda fila. Suas faces de jacinto enrubesciam com facilidade. Deliciava-me vê-las ofegantes, quando, por exemplo, ele chegava correndo para a reunião matinal, bem na hora de formar as filas. Normalmente desabotoava o casaco com movimentos bruscos, arfante. E arrancava com violência a fralda da camisa de dentro da calça, retorcendo-a como se fosse rasgá-la. Sobre a plataforma, mesmo que não quisesse, era impossível deixar de olhar para seu busto alvo, macio, exibindo-se casualmente. Por isso, gelei quando, certa vez, um amigo observou de passagem: "Você sempre olha para baixo quando dá os comandos. É tão tímido assim?". Contudo, nessas ocasiões não tinha oportunidade de me aproximar daquela rosada seminudez.

No verão, todos os alunos das séries mais avançadas foram passar uma semana de estudos e observações na escola de engenharia naval da cidade de M. Num desses dias, tivemos aula de natação. Eu, que não sei nadar, decidira apenas observar, alegando indisposição estomacal, mas, tendo um capitão enfatizado que banho de sol curava qualquer doença, nós, os enfermos, também tivemos de despir a camisa. Yakumo, aliás, era um de nós. Cruzara os braços alvos e rijos, expunha à brisa o peito levemente queimado pelo sol e mordia sem cessar o lábio inferior com seus dentes brancos, como se brincasse com eles. Os supostos doentes haviam escolhido um local à sombra de uma árvore à beira da piscina e ali se juntaram, por isso não me foi difícil aproximar-me dele. Medi com os olhos sua cintura maleável, contemplei seu ventre que respirava com suavidade. Lembrei-me do verso de Whitman:

The young men float on their backs — their
white bellies bulge to the sun...

Mas tampouco dessa vez lhe dirigi qualquer palavra. Sentia vergonha de meu mísero tórax, dos braços finos e pálidos.

Em setembro de 1944, ou seja, um ano antes do término da guerra, formei-me na escola que frequentara desde a infância e ingressei na universidade. Por imposição de meu pai, a quem não importava se aquele era ou não o meu desejo, fui obrigado a escolher o curso de direito. Não foi tão penoso, porém, porque estava convencido de que, num futuro não muito distante, também eu seria convocado pelo Exército e morreria em combate, e toda a minha família pereceria nos ataques aéreos, sem que restasse um único sobrevivente.

Como era costume naquela época, um veterano, que deixava a universidade para servir na guerra justo quando eu ingressava, emprestou-me seu uniforme. Comecei a frequentar as aulas vestindo suas roupas, sob a promessa de devolvê-las à sua família quando chegasse a minha vez de partir.

Apesar de sentir um medo descomunal de ataques aéreos, ao mesmo tempo ansiava pela morte com impaciência e uma doce expectativa.

Como tenho dito aqui, o futuro era um pesado fardo para mim. Desde o início a vida me amarrara com um senso de dever. Ainda que soubesse que não conseguiria cumpri-lo, ela me atormentava com minha negligência. Achava que me sentiria aliviado se me desforrasse da vida com a morte, desviando aquele fardo de meus ombros. De um ponto de vista sensual, simpatizava com a crença na morte, tão em voga durante a guerra. Se, por alguma eventualidade, eu viesse a ter uma "morte honrosa em combate" (o que estava longe de combinar comigo), minha vida teria um desfecho de fato irônico, e eu julgava que nem sob a sepultura o sorriso se apagaria de meu rosto. E, no entanto, quando soavam as sirenes, era eu, este mesmo que agora lhes fala, o primeiro e o mais rápido a buscar refúgio nos abrigos antiaéreos...

Ouvi o som desajeitado de um piano.

Foi na casa de um amigo que logo seria convocado como cadete especial. Tinha muito apreço por ele, seu nome era Kusano, o único no colégio com quem eu podia conversar ao menos um pouco sobre as questões do coração. Sou daqueles que não fazem muita questão de ter amigos, mas é algo implacável dentro de mim que me força a contar o que se segue, embora seja provável que isso venha a ferir essa minha única amizade.

— Esse piano está sendo bem tocado? Parece muito irregular às vezes.

— É minha irmã mais nova. Com certeza, seu professor acabou de ir embora e ela está praticando a lição.

Paramos de conversar e aguçamos os ouvidos. Como o recrutamento de Kusano estava bem próximo, era mais provável que o que ressoava em seus ouvidos não fosse apenas o som do piano da sala ao lado, mas uma espécie de beleza mal-acabada, irritante, pertencente a um cotidiano do qual ele teria de se afastar em breve. Em seus matizes, aquele som tinha um sabor de intimidade, como o doce tosco feito com um olho no livro de receitas. Não pude evitar a pergunta:

— Quantos anos ela tem?

— Dezoito. É a irmã logo abaixo de mim — respondeu Kusano.

Quanto mais ouvia, mais me convencia de que era um som permeado dos sonhos dos dezoito anos, ainda ignorante de sua própria beleza, tocado por dedos cujas pontas ainda exibiam vestígios da infância. Desejei que aquele exercício continuasse para sempre. E meu pedido foi atendido. O som daquele piano perdurou em meu coração até o dia de hoje, cinco anos depois. Quantas vezes não quis acreditar que fosse alucinação! Quantas não foram as vezes em que minha razão ridicularizou essa alucinação? Quantas vezes minha fraqueza não caçoou de minha ilusão? E apesar disso tudo, o som daquele piano dominou-me: fosse possível retirar a carga de sarcasmo da palavra destino, diria mesmo que ele se tornou algo fatídico para mim.

Lembrava-me agora da estranha impressão que a palavra destino causara em mim um pouco antes desse acontecimento. Dentro de um automóvel, depois da cerimônia de formatura no colégio, eu me dirigia ao Palácio Imperial juntamente com o diretor, um idoso almirante, para fazer uma visita formal de agradecimento. Foi quando aquele velhinho sombrio, com remelas nos olhos, criticou minha decisão de não me alistar como cadete especial, e sim esperar pela convocação como soldado raso. Passava-me um acalorado sermão, dizendo que meu físico não aguentaria a vida de soldado.

— Mas estou preparado para isso.

— Você diz isso porque não sabe como são as coisas. Mas o dia para o alistamento já se foi, e agora não há mais o que fazer. Esse é seu *destiny*.

Pronunciou a palavra destino em inglês, como faziam na era Meiji.

— Hã? — retruquei.

— *Destiny*. Esse é seu *destiny*.

Repetiu a palavra com monotonia e uma indiferença impregnada de vergonha, característica de anciãos que se acautelam para não serem tomados por vovós demasiado zelosas.

Sem dúvida, eu já devia ter visto a menina do piano em visitas anteriores à casa de Kusano. A família dele, porém, tinha uma conduta puritana, ao contrário da de Nukada; assim, as três irmãs logo se escondiam, deixando para trás apenas sor-

risos reservados. Como o recrutamento de Kusano aproximava-
-se cada vez mais, visitávamos um ao outro com frequência,
resistindo à separação iminente. Aquele som de piano me fizera assumir uma conduta reservada em relação à irmã. Desde
que dera ouvidos a ele, não conseguia olhá-la nos olhos, puxar
conversa, como se tivesse descoberto os segredos dela. Vez por
outra, quando ela vinha servir o chá, eu só via diante de mim
suas pernas ágeis, movendo-se com leveza. A beleza daquelas
pernas me emocionou, talvez porque não estivesse acostumado
a ver mulheres com as pernas de fora, por causa da moda de
vestir calças compridas ou *monpe* — aquelas típicas calças ja-
ponesas usadas por camponesas.

A julgar por essas minhas palavras, seria difícil fugir à provável interpretação de que senti excitação sexual por aquelas
pernas. Mas isso não aconteceu. Como já disse várias vezes, eu
carecia de toda e qualquer experiência de desejo carnal pelo
sexo oposto. Uma boa prova disso é que não sentia vontade
nenhuma de ver o corpo nu de uma mulher. Ainda assim, considerava seriamente amar alguma, mas era logo tomado por
aquela fadiga desagradável a atrapalhar meu plano de perseguir essa "séria intenção", até que, por fim, encontrava prazer
em considerar-me uma pessoa controlada pela razão e, comparando meu sentimento frígido e descontínuo ao de homens
enfastiados com mulheres, satisfazia também meu desejo vão
de igualar-me aos adultos. Era um comportamento automático
em mim, como se eu fosse uma daquelas máquinas existentes
em lojas de doces baratos, que expelem uma bala tão logo se
insere uma moeda de dez centavos.

Decidira, então, que poderia amar uma mulher sem sentir
qualquer desejo. Era provavelmente o empreendimento mais
ousado desde o início da história humana. Sem me dar conta
disso, estava planejando (e perdoem-me a inclinação ao exage-

ro) me tornar um Copérnico da doutrina amorosa. Sem querer, e sem me aperceber disto, chegara à crença no conceito platônico de amor. Talvez pareça haver aí uma contradição com o que expus anteriormente, mas acreditava no amor platônico com total sinceridade e pureza, sem qualquer questionamento. Ou será que, mais do que no conceito, acreditava na pureza em si? Não jurara fidelidade a ela? Mas essa é uma questão da qual tratarei mais adiante.

Se às vezes não parecia acreditar no amor platônico, também isso era culpa de meu cérebro, que tendia a dar preferência ao conceito de desejo carnal que me faltava, e daquela fadiga artificial, tão propensa a fazer coro a toda e qualquer satisfação de minha mania de querer parecer adulto. Em resumo, a culpa cabia à minha inquietação.

Chegou o último ano da guerra, e eu completei vinte e um anos de idade. O novo ano acabara de começar e todos os estudantes de minha universidade foram convocados para trabalhar na fábrica N de aviões, nas proximidades de M. Oitenta por cento trabalhavam como operários e os vinte restantes, os mais frágeis, faziam algum tipo de serviço de escritório. Eu integrava esse último grupo. Ainda assim, no exame físico do ano anterior, eu fora aprovado na categoria 2B, e preocupava-me com uma convocação a qualquer momento.

Localizada em uma região desolada, onde uma poeira amarelada pairava no ar, a gigantesca fábrica — só para atravessá-la de um lado a outro, levava-se trinta minutos — operava mobilizando alguns milhares de operários. Eu era um deles, na condição de funcionário temporário 953, identificação número 4409. Essa enorme fábrica operava baseada num misterioso cálculo de custos de produção que não se preocupava com o retorno do capital investido: dedicava-se a um gigantesco nada. Não era, pois, à toa que um juramento místico era entoado toda manhã. Eu nunca vira uma fábrica tão estranha. Nela, modernas técnicas científicas, avançados métodos administrativos, o pensamento acurado e racional, tudo isso se juntava e punha-se a serviço de uma única coisa: a morte. A imensa fábrica, voltada para a produção de aviões de combate modelo Zero, usados pelos esquadrões especiais de ataque, vibrava com estrépito, gemia, gritava aos prantos, rugia, lembrando uma obscura religião. De resto, sem essa grandiloquência religiosa, eu não conseguia imaginar a existência de mecanismo tão colossal. Até mesmo a maneira como os diretores engordavam suas barrigas tinha ares religiosos.

De tempos em tempos, as sirenes advertiam para um ataque aéreo, convocando para a missa negra dessa pervertida religião.

O escritório se alvoroçava, um sotaque interiorano espraiava-se sem cerimônia: "O que está acontecendo?". Não havia rádio na sala. Uma menina que trabalhava no escritório do superintendente vinha correndo nos informar: "São diversas formações de aviões inimigos". Enquanto isso, a voz grave dos alto-falantes ordenava às estudantes e às crianças das escolas primárias que se dirigissem aos abrigos. Encarregados da assistência e do salvamento andavam de um lado a outro distribuindo uma espécie de etiqueta vermelha com os dizeres impressos: "Hemóstase: _____ horas ____ minutos". Os feridos deveriam preencher o horário em que o sangue estancara e pendurar a etiqueta no pescoço. Passados dez minutos ou menos desde o alarme das sirenes, os alto-falantes anunciavam: "Todos para os abrigos".

Carregando caixas com documentos importantes, funcionários que trabalhavam no escritório apressavam-se em direção ao cofre subterrâneo. Depois de guardá-las, saíam voando para o piso térreo e juntavam-se à multidão de capacetes de ferro e capuzes antiaéreos que atravessava o pátio correndo. Seu alvo era o portão principal, para onde fluía caudalosamente. Do lado de fora, estendia-se a planície desolada, de uma nudez amarela. Cerca de setecentos, oitocentos metros adiante, num bosque de pinheiros sobre uma suave colina, havia inúmeros abrigos escavados. A multidão calada, impaciente, cega, dividida em duas fileiras, dirigia-se para eles por entre a poeira, rumo ao que, embora não passasse de uma pequena vala de terra vermelha que poderia desmoronar a qualquer momento, não era a Morte — corria em direção a algo que, fosse o que fosse, em todo caso não era a Morte.

Coincidentemente, às onze horas de uma noite em que voltava para casa numa de minhas folgas ocasionais, recebi minha convocação. Era um telegrama ordenando que me apresentasse em certa unidade no dia 15 de fevereiro.

Por sugestão de meu pai — que dizia que meu físico frágil não era raro nas metrópoles e que, portanto, seria melhor passar pelo exame médico num batalhão do interior, na cidade onde minha família tinha seu endereço oficial, porque lá minha fragilidade chamaria a atenção e eu talvez não fosse recrutado —, fui examinado na província de H, na região entre Osaka e Kyoto. Apesar de ter provocado um acesso de riso no examinador, por não conseguir levantar nem até a altura do peito um fardo de arroz, enquanto jovens das aldeias rurais erguiam-no até dez vezes sem dificuldade, acabei sendo aprovado na categoria 2B, e por essa razão recebia agora a ordem de apresentar-me numa rudimentar unidade militar do interior. Minha mãe chorou de tristeza, e o abatimento de meu pai não foi pouco. Como era de esperar, senti-me relutante com a convocação, mas, dada minha esperança de uma morte fácil, no final tanto fazia. Uma gripe que pegara na fábrica, no entanto, piorou durante a viagem de trem que me levava à unidade em que deveria apresentar-me e, ao chegar à casa de velhos conhecidos da família na terra natal de meu avô, onde não possuíamos nem sequer um metro quadrado de terra desde sua falência, mal conseguia manter-me em pé devido à febre muito alta. Mas graças aos cuidados carinhosos dispensados a mim naquela casa, e em particular à eficácia da grande quantidade de antitérmicos que tomara, cruzei enfim o portão do acampamento, depois de uma eufórica despedida.

A febre, refreada pelos remédios, tornou a subir. Passei por mais um exame médico e, enquanto esperava em pé, completamente nu, feito um animal selvagem, espirrei várias vezes. O jovem médico do Exército confundiu o chiado de meus brônquios com um estertor no peito e, baseado ainda em minhas informações absurdas sobre meu histórico médico, que só fizeram confirmar seu diagnóstico incorreto, decidiu fazer um teste de sedimentação sanguínea. A febre alta decorrente da gripe provocara uma alta sedimentação. Com um diagnóstico de infiltração dos pulmões, mandaram-me embora para casa naquele mesmo dia.

Ao deixar o portão do acampamento para trás, disparei a correr. A ladeira árida e congelada pelo frio do inverno descia em direção à vila. Como naquela fábrica de aviões, minhas pernas galopavam rumo a algo que não era a Morte; fosse o que fosse, em todo caso não era a Morte...

Esquivando-me do vento que entrava por um vidro quebrado da janela do trem noturno, eu sofria calafrios provocados pela febre e estava com dor de cabeça. Perguntava-me para onde voltaria. Para a casa em Tóquio, assombrada pela incerteza e ainda não desocupada graças apenas à inabilidade de meu pai para tomar decisões a respeito do que fosse? À cidade que envolvia a casa de obscura inquietude? Para o meio daquela multidão com olhos semelhantes aos do gado sendo levado para o matadouro, como se se perguntassem: "Estamos salvos, estamos bem?" Ou àquele dormitório da fábrica de aviões, reunindo nada mais do que universitários tuberculosos com sua indisposição para resistir estampada no rosto?

Uma das tábuas soltas do assento em que me recostava se mexia com o tremor do trem, bem na junção sob minhas costas. Fechei os olhos e imaginei minha família inteira sendo aniquilada num ataque aéreo, bem num dia em que eu a visitava. A ideia provocou-me aversão inexprimível. A conexão entre vida cotidiana e morte: nada mais me causava tão estranha repugnância. Até os gatos se escondem quando é chegada a sua hora, para que ninguém os veja morrendo, não é mesmo? Só a ideia de assistir à morte cruel de minha família, também ela a me observar, fazia-me sentir o vômito subir até a altura do peito. A morte assombrando todos nós, a troca de olhares entre pai, mãe, filho, filha no limiar da vida, compartilhando o sentimento de perda — para mim, isso tudo não passava de uma paródia obscena das imagens de harmonia e felicidade familiares. Eu queria morrer entre estranhos, com serenidade. Tampouco ansiava por morrer como o grego Áias, que desejou morrer sob um céu límpido. O que eu buscava era uma espécie de suicídio espontâneo, natural. Queria morrer como a raposa ainda não muito astuta, que, graças à própria ignorância, caminha despreocupadamente pelas montanhas e é alvejada pelo caçador...

Se esse era o caso, não era o Exército o lugar ideal para mim? Não era isso que esperava do serviço militar? Então, por que mentira ao médico com seriedade tão convincente? Por que dissera a ele que, havia seis meses, era acometido por uma persistente febrícula, que não sabia mais o que fazer com a dor nos ombros enrijecidos, que cuspia sangue, que ainda na noite anterior ficara encharcado de suor enquanto dormia? (E de fato ficara, graças às tantas aspirinas que havia tomado.) Por que, quando me mandaram embora para casa naquele mesmo dia, sentira a pressão de um sorriso pressionando-me as faces, a ponto de parecer que meus ossos se quebrariam na tentativa de dissimulá-lo? Por que disparara a correr daquele jeito ao deixar para trás o portão do regimento? Não tinha sido traído em minhas esperanças? Por qual motivo não caminhava pesaroso, cabisbaixo, sentindo as pernas paralisadas?

Percebi então com clareza que minha vida futura jamais alcançaria grandeza que justificasse ter escapado da "morte" no Exército, e não conseguia entender de onde tinha vindo a energia que me fizera correr daquela maneira portão afora. Afinal, será que eu queria viver? E aquela reação automática, correndo resfolegante em busca de um abrigo antiaéreo?

Então, de súbito, outra voz começou a me dizer que na realidade eu nunca pensara em morrer, que nunca o quisera, em momento algum. E essas palavras fizeram transbordar em mim a vergonha. Era doloroso admitir, mas eu compreendi. Compreendi que era mentira quando dizia que minhas expectativas em relação ao Exército resumiam-se apenas à morte. Que, na verdade, nutria certa esperança sexual relacionada à vida militar. E que a força que perpetuava essa esperança não passava de uma firme convicção, fundada na primitiva crença na magia, comum a todos os seres humanos, de que somente eu jamais iria morrer...

Que desagrado causavam-me tais pensamentos! Teria, ao contrário, preferido pensar que era um ser abandonado até pela Morte. Da mesma forma como um cirurgião, operando algum órgão interno, concentra todas as suas atenções no que faz, mas retém sua impessoalidade, também eu tinha prazer em imaginar a estranha agonia de alguém que, desejando morrer, fora rejeitado pela morte. O grau de prazer que isso me proporcionava chegava a ser quase imoral.

Como resultado de uma acalorada divergência entre a universidade e a fábrica de aviões N, todos os estudantes foram removidos de lá até o final de fevereiro; estava previsto que voltaríamos a ter aulas durante o mês de março e que, no início de abril, seríamos enviados a outra fábrica. No final de fevereiro, sofremos o ataque de quase mil aviões de pequeno porte. Sabíamos que as tais aulas planejadas para março não sairiam do papel.

Assim sendo, aconteceu de, em plena guerra, ganharmos um mês de férias inúteis, que não serviam para nada. Era como se ganhássemos fogos de artifício úmidos. Mas a ganhar um saco de biscoitos duros, daqueles que serviam de alimento aos soldados, dado sem apreço algum e de utilidade previsível, ainda preferia aquelas férias. E isso porque era um presente estúpido, que só a universidade poderia nos dar. Naquela época, já o fato de se tratar de algo inútil era um grande presente.

Alguns dias depois de me recuperar da gripe, recebi um telefonema da mãe de Kusano. Em seu regimento, próximo à cidade de M, pela primeira vez seriam permitidas visitas no dia 10 de março, e ela me perguntava se eu não gostaria de ir junto, para vê-lo.

Aceitei o convite e logo fui a sua casa para combinar a visita. Naqueles dias, as horas consideradas mais seguras iam do fim da tarde até às oito da noite. A família Kusano acabara de jantar. A mãe era viúva. Fui convidado a sentar-me em volta do *kotatsu*, uma mesa baixa sob a qual havia um aquecedor, e onde já se encontravam mãe e três filhas. A mãe apresentou-me à menina do piano, que se chamava Sonoko. Como seu nome era o mesmo de uma famosa pianista, a sra. I, fiz uma piada algo irônica a respeito daquele dia em que a ouvira tocando. A garota de dezenove anos enrubesceu à penumbra da luz atenuada, não respondeu. Sonoko vestia uma jaqueta de couro vermelho.

Na manhã do dia 9 de março, eu esperava pela família Kusano numa das plataformas da estação próxima a sua casa. As lojas que se enfileiravam além dos trilhos tinham sido obrigadas a abandonar o local, e podia-se ver em detalhes o processo de demolição, que rasgava o céu límpido de início de primavera com estrépitos de renovado frescor. Em meio à demolição se podiam ver novas superfícies expostas de madeira nua, que pareciam ofuscar a vista.

As manhãs ainda eram frias. Não se ouvira um único alarme anunciando ataques aéreos nos dias anteriores. Nesse período, o ar se tornara ainda mais transparente, estirando-se de tal forma que agora parecia mostrar perigosos sinais de ruptura. A atmosfera assemelhava-se à corda retesada de um instrumento, pronto a reverberar ao mais leve toque. Por um lado, lembrava aquele silêncio repleto de um abundante vazio, prestes a fazer-se música em uns poucos instantes. Até mesmo os gélidos raios solares que incidiam sobre a plataforma, onde não se via um único vulto humano, tremiam ante aquela premonição de música.

Então, uma menina de casaco azul veio descendo as escadas do outro lado. Segurava a mão da irmãzinha menor, prestando cuidadosa atenção a ela e descendo um degrau de cada vez. A outra irmã, maiorzinha, de quinze, dezesseis anos, impaciente com aquele vagar, ainda assim não tomou a frente das duas: em vez disso, descia em zigue-zague a escada vazia.

Sonoko parecia ainda não ter notado minha presença. Podia vê-la com nitidez de onde me encontrava. Em toda a minha vida, não me lembrava de beleza feminina que tivesse me comovido tanto. Meu peito palpitava, sentia-me purificado. Ao escrever essas palavras, sei que o leitor que me acompanhou até aqui terá dificuldade de acreditar em mim. Não verá diferença entre aquele amor não correspondido, artificial, que antes senti pela irmã de Nukada e esse bater forte do meu peito. Não lhe parecerá haver razão para que eu não submeta o presente caso à análise impiedosa que fiz do anterior. Se assim pensar o leitor, o ato de escrever terá se tornado algo inútil desde o princípio. Ele julgará que ponho no papel apenas o que é fruto da minha vontade, e que me basta dar ao texto forma coerente para que tudo dê certo. Contudo, é uma parte muito precisa de minha memória que anuncia uma diferença fundamental entre meu eu anterior e o de agora. A diferença era que agora eu sentia remorso.

Quando estava a dois, três degraus do pé da escada, Sonoko se deu conta de minha presença e sorriu com as faces coradas, cheias de frescor, realçadas pelo vento gelado. Seus olhos, mais para o negro, com as pálpebras um tanto pesadas, um pouco sonolentas, brilharam, querendo dizer algo. E, entregando a irmãzinha menor aos cuidados da outra, ela veio correndo pela plataforma em minha direção, com movimentos dóceis como o tremular da luz.

Para mim, era como se a manhã chegasse correndo onde me encontrava. O que eu via não era a mulher em carne e osso que me forçara a imaginar desde a infância. Se assim fosse, bastaria recebê-la com as habituais expectativas fraudulentas. Para minha perplexidade, porém, a intuição fazia-me reconhecer algo mais somente no interior de Sonoko. Era um sentimento de profunda modéstia, de não me sentir digno dela, mas que não se traduzia num complexo de inferioridade servil. Ao vê-la aproximando-se de mim pouco a pouco, invadiu-me uma tristeza insuportável. Nunca me sentira assim antes. Era uma tristeza que estremecia os alicerces de minha existência. Até aquele momento, meu modo de sentir as mulheres era como um amálgama artificial, um misto de curiosidade infantil e de falso desejo carnal. Meu coração nunca fora chacoalhado, que dirá à primeira vista, por tristeza tão profunda, inexplicável, uma tristeza que, acima de tudo, não fazia parte da minha máscara. Minha consciência me dizia que era remorso aquele sentimento. Cometera eu, no entanto, algum pecado que me qualificasse a tanto? Por mais contraditório que isto pareça, haveria arrependimento anterior à própria transgressão? Seria remorso da minha própria existência? Fora a figura de Sonoko que o evocara, que me despertara para esse remorso? Ou talvez tudo não passasse do pressentimento de um pecado?

Sonoko já estava bem diante de mim, com todo o seu recato. Cumprimentou-me mais uma vez com clareza de gestos, baixando a cabeça, ato que repetia agora porque minha distração a interrompera.

— Deixei-o esperando? Minha mãe e a senhora minha avó (a estranha formalidade em relação à própria família diante de um estranho a fez corar) ainda não estão prontas e vão se atrasar. Bem, espere um pouquinho mais, ou melhor (corrigiu-se com modéstia), se puder, por obséquio, esperar mais um pouco... Se ainda assim elas chegarem, não gostaria de ir na frente conosco até a estação U?

De novo, seu peito arfava ao terminar aquele discurso titubeante em linguagem formal. Sonoko era grande e alta. Batia mais ou menos na minha testa. Era dona de um corpo bastante gracioso, simétrico e tinha belas pernas. O rosto redondo, infantil, sem pintura, parecia o retrato de uma alma imaculada, sem maquiagem. Os lábios estavam um pouco rachados e por isso pareceram-me ainda mais vívidos.

Ainda trocamos umas duas, três palavras, numa conversa entediante. Tentei com todas as forças ser agradável e alegre, fiz de tudo para me mostrar um rapaz espirituoso, embora detestasse me ver nesse papel.

Vários trens pararam à nossa frente, tornando a partir com rangidos estridentes. Embarque e desembarque de passageiros intensificavam-se. E toda vez que isso acontecia, os raios solares que incidiam sobre nós, com seu calor agradável, eram interceptados. A suavidade do sol, ressurgindo em minhas faces sempre que um comboio partia, fazia-me estremecer. Sentia que o fato de aquela luz abençoada e profusa incidir sobre mim, de ter meu coração preenchido com momentos que não me faziam desejar mais nada era um sinal de mau agouro. Só podia indicar que morreríamos ali, em pé, bem onde estávamos, vítimas de um ataque aéreo repentino que nos atingiria em poucos minutos. Decerto, não merecíamos nem o mais ínfimo momento de felicidade. Ou talvez estivéssemos impregnados do mau hábito de pensar que mesmo a menor das felicidades é uma graça recebida. Esse foi o efeito exato que produziu em mim estar ali, daquela forma, frente a frente com Sonoko, sem trocarmos muitas palavras. É bem provável que o mesmo sentimento a dominasse, a mesma força.

Deixamos passar vários trens, mas, como sua mãe e avó custavam a chegar, partimos enfim em direção à estação U.

Em meio ao alvoroço da estação, fomos detidos pelo chamado do sr. Ohba, cujo filho integrava o mesmo regimento de Kusano e a quem faria uma visita. Esse banqueiro de meia-idade, que por teimosia não largava o chapéu de feltro e o terno, trouxera consigo a filha, que Sonoko conhecia de vista. Não sei por quê, mas deixou-me feliz o fato de aquela menina ser menos bonita, comparada a Sonoko. O que significava um tal sentimento? Mesmo ao ver Sonoko naquela euforia inocente, balançando com intimidade as mãos cruzadas com as da outra, percebi que ela possuía a serena magnanimidade que é própria da beleza, e essa descoberta me fez ver também que era por isso que aparentava ser alguns anos mais adulta do que na verdade era.

O trem estava vazio. Como que por acaso, Sonoko e eu nos sentamos à janela, um de frente para o outro.

Os Ohba contavam três pessoas, incluindo a empregada. Nosso grupo, enfim completo, era formado por seis. Como éramos nove ao todo, pelo meu cálculo sobraria uma pessoa em pé se ocupássemos os assentos de ambos os lados do corredor.

Eu havia feito aquela rápida operação sem nem me dar conta. Será que Sonoko fizera o mesmo? Ao sentarmo-nos pesadamente, um de frente para o outro, trocamos sorrisos travessos.

O resultado foi que o cálculo desfavorável ensejou a conivência tácita dos outros em relação àquela nossa ilhota isolada. Por uma questão de etiqueta, a avó e a mãe de Sonoko tiveram de se sentar defronte ao sr. Ohba e sua filha. A irmã caçula, por sua vez, escolheu de pronto um lugar de onde poderia enxergar o rosto da mãe e a paisagem lá fora. A outra irmã de Sonoko acompanhou a caçula. Assim, aquele assento tornou-se uma espécie de playground, com a empregada dos Ohba incumbida de cuidar das duas meninas. O encosto de um assento, corroído pelo tempo, separava nós dois dos outros sete.

A tagarelice do sr. Ohba tomou as rédeas da conversa antes mesmo de o trem partir. Sua garrulice feminina em tom grave concedia aos interlocutores nada mais do que o direito de menear a cabeça. Do outro lado do encosto, até mesmo a jovial avó de Sonoko, a tagarela dos Kusano, estava boquiaberta, muda.

Tanto ela como a mãe limitavam-se a dizer "sim, sim", ocupadas com a tarefa de rirem quando necessário. Quanto à filha de Ohba, não se ouviu sequer uma palavra de sua boca. Logo o trem se pôs em movimento.

Ao deixarmos a estação, os raios de sol que atravessavam o vidro sujo e o caixilho irregular da janela incidiam sobre meus joelhos e os de Sonoko, cobertos pelos casacos. Estávamos ambos calados, dando ouvidos à conversa ao lado. De vez em quando, os lábios dela esboçavam um sorriso. Aquilo logo me contagiou. E toda vez que acontecia, nossos olhares se cruzavam. Então, Sonoko voltava a ouvir a conversa com olhos cintilantes e travessos, fugindo do meu olhar.

— Quando chegar o meu dia, gostaria de morrer vestido deste jeito. Como poderia morrer em paz usando aquelas vestimentas parecidas com as dos militares, *guêtres*, impostas a nós, civis? E tampouco permito que minha filha use calças compridas. Não seria um dever paterno desejar que ela morra vestida em trajes femininos?

— Sim, sim.

— Mudando de assunto, por favor me digam quando forem abandonar a casa. Quantas não devem ser as inconveniências de um lar desprovido de uma mão masculina. Seja como for, por favor não deixem de me informar.

— Muito obrigada pela gentileza.

— Conseguimos comprar um depósito nas termas de T e estamos enviando para lá todos os pertences de nossos funcionários do banco. Posso garantir às senhoras que lá é um local seguro. Podem mandar o piano ou o que mais desejarem.

— Muito obrigada.

— Aliás, o comandante da unidade de seu filho parece ser uma boa pessoa, que sorte! Sim, porque ouvi dizer que o comandante da unidade do meu filho fica com uma parte dos mantimentos levados nos dias de visita. Quando se chega a esse ponto, que diferença há entre essa gente e aqueles lá, do outro lado do mar? Dizem que certa vez ele teve cãibras no estômago no dia seguinte ao de visitas.

— Ora, ora...

Um sorriso esboçava-se novamente nos lábios de Sonoko, e ela se mostrava irrequieta. Tirou um livro de bolso da sacola que levava. Aquilo não me agradou muito. Ainda assim, consegui demonstrar interesse pelo título.

— O que você está lendo?

Mostrou-me as costas do livro aberto, sorrindo, como se segurasse um leque diante do rosto. Lia-se A *lenda do espírito das águas* e, entre parênteses, o título do original alemão: *Undine*.

Ouvi alguém se levantar do assento de trás. Era a mãe de Sonoko. Pareceu-me que, para escapar à tagarelice do sr. Ohba, fora chamar a atenção da filha mais nova, que pulava e saltava sobre o banco. Aquela não era sua única intenção, porém. Trazendo a menina barulhenta e sua irmã mais velha até o nosso assento, ela disse:

— Por favor, permitam que estas meninas barulhentas se juntem a vocês.

A mãe de Sonoko era uma bela e elegante senhora. Por vezes, o sorriso que coloria seu jeito delicado de falar parecia quase patético. E ao nos falar agora, seu sorriso transmitiu-me certa tristeza e inquietação. Quando se foi, Sonoko e eu nos entreolhamos. Tirei uma agenda do bolso do peito, destaquei uma folha e escrevi a lápis: "Sua mãe está atenta".

— O que é isto?

Ela inclinou o rosto ao receber o pedaço de papel. Senti o perfume de cabelos de criança. Ao terminar de ler o que estava escrito, corou até a nuca e baixou os olhos.

— Então? Não é isso mesmo?

— Hã, eu...

Nossos olhares se cruzaram mais uma vez, formalizando a compreensão mútua. Também eu senti minhas faces arderem.

— Minha irmã, o que é isto?

A irmãzinha estendeu a mão. Num átimo, Sonoko escondeu o papel. A irmã do meio já parecia ser capaz de ler as entrelinhas de situações como aquela. Um tanto amuada, fechou o cenho. Percebi pelo modo exagerado como ralhou com a menor.

Aquele incidente, no entanto, apenas facilitou a conversa entre mim e Sonoko. Ela me falou sobre a escola, sobre alguns romances que lera até então e sobre o irmão; eu, de minha parte, logo conduzia a conversa para assuntos mais gerais. É o primeiro passo na arte da sedução. Como conversávamos com intimidade, ignorando a presença das outras duas, elas acabaram voltando para o assento de onde tinham vindo. Dali a pouco, esboçando novo sorriso de constrangimento, a mãe trazia as meninas de volta, embora fossem ambas de pouca valia como espiãs.

Naquela noite, quando enfim nos acomodamos numa hospedaria na cidade de M, próxima à unidade de Kusano, já era quase hora de dormir. Destinaram um quarto para mim e para o sr. Ohba.

Uma vez a sós, o banqueiro revelou-me sem rodeios suas ousadas opiniões, contrárias à guerra. Ao chegar a primavera de 1945, já se sussurravam ideias assim onde quer que pessoas se reunissem; por isso, já estava enjoado de ouvi-las. Ele continuou tagarelando com sua voz grave, contando-me que seu banco financiava uma enorme companhia de cerâmica, que, sob o pretexto de compensar os danos da guerra, planejava produzir louças em grande escala, porcelana para uso doméstico, já na expectativa do término dos conflitos; ao que parecia, propostas de paz haviam sido feitas à União Soviética — eu não suportava mais ouvi-lo. Queria ficar sozinho, refletir. Seu rosto, que me pareceu estranhamente inchado sem os óculos, desapareceu na sombra projetada pelo abajur apagado; dois ou três suspiros inocentes percorreram o acolchoado de futom e, dali a pouco, quando a respiração pesada indicava que adormecera, perdi-me em pensamentos, sentindo o lençol novo, enrolado no travesseiro, pinicar minha face corada.

Somada à sombria irritação que sempre me ameaçava quando ficava sozinho, a tristeza que estremecera o alicerce de minha existência com tanta intensidade naquela manhã, ao ver Sonoko, retornava ao meu coração com vivacidade redobrada. Desmascarava a falsidade de cada palavra que eu dissera, de cada ato que praticara naquele dia. Caracterizar meus atos como falsidade era menos doloroso do que especular sobre quanto andara fingindo; por isso, já me acostumara a esse desmascaramento deliberado. Ademais, minha obstinada inquietude em relação ao que chamava a condição básica do ser humano, sua constituição psicológica, apenas conduzia minhas reflexões por infinitos círculos infrutíferos. Como me sentiria se fosse outro rapaz? Como se sentiria uma pessoa normal? A obsessão com essas questões torturava-me com crueldade e, num instante, despedaçava até mesmo o caco de felicidade que julgara ter alcançado.

"Representar" tornara-se parte constitutiva de meu ser. Ou melhor, já não era uma encenação. A consciência de que me fazia passar por uma pessoa normal corroera até mesmo a normalidade que porventura ainda possuísse, fazendo-me repetir a mim mesmo, sem cessar, que até esta não passava de simulacro. Dizendo-o de outra maneira, tornava-me alguém que praticamente acreditava apenas no fingimento. Dessa maneira, a atração que sentia por Sonoko, aquele sentimento que a razão desejava caracterizar como farsa, talvez apenas mascarasse meu desejo de acreditar que se tratava, na realidade, de amor genuíno. Provavelmente, começava a me transformar num homem incapaz até de negar a si mesmo...

Quando estava enfim começando a pegar no sono, aquele rugido agourento, mas algo fascinante, propagou-se pelo ar da noite.

— Não é o alarme?

Fiquei surpreso com o sono leve do banqueiro.

— Hum...

Respondi reticente. A sirene seguiu ecoando, cada vez mais débil.

Acordamos às seis horas, porque o horário de visitas começava cedo.

— A sirene tocou ontem à noite, não foi?

— Não.

Sonoko negou-o a sério quando nos cumprimentamos de manhã no lavabo. A resposta deu corda a suas irmãs, para que mexessem com ela ao retornar ao quarto.

— Só minha irmã não ouviu. Puxa, que estranho! — disse a menor, aproveitando-se do que a outra dissera.

— Eu logo acordei. E ouvi minha irmã roncando alto.

— Isso mesmo. Eu também ouvi. Era um ronco tão selvagem que mal podia escutar a sirene.

— Digam o que quiserem. Mas mostrem as provas!

Como eu estava presente, Sonoko esbravejava com o rosto em chamas.

— Se continuarem com essas mentiras terríveis, vão se arrepender depois!

Eu só tinha uma irmã mais nova. Desde criança, sentia-me atraído por casas alegres, repletas de irmãs. Aquela briga meio jocosa e barulhenta entre elas soava para mim como a imagem mais cheia de frescor, mais genuína da felicidade neste mundo. Também reacendeu minha angústia.

O assunto durante o café da manhã girou em torno do alarme da noite anterior, o primeiro desde que entráramos em março. Como soara apenas a sirene de alerta e, por fim, não se ouvira o alarme de ataque aéreo, todos se acalmaram, concluindo que nada de mais acontecera. Para mim, tanto fazia. Achava que me sentiria mais aliviado se a casa toda tivesse sido consumida pelo fogo, se meu pai, mãe, irmãos tivessem morrido durante minha ausência. Não achava aquilo um devaneio demasiado cruel. Numa época em que todos os dias aconteciam, sem mais nem menos, situações que desafiavam a imaginação, nossa capacidade de devanear empobrecera. Era muito mais fácil imaginar o extermínio de uma família toda do que pensar nas garrafas de bebidas alcoólicas importadas enfileirando-se nas vitrines das lojas de Guinza, ou nos luminosos de néon piscando sob o céu noturno do bairro chique. Escolhia-se o caminho mais fácil. A capacidade de imaginar o corriqueiro, ainda que revestida de aparente crueldade, nada tinha a ver com frieza de coração. Não passava da manifestação de um espírito preguiçoso e tépido.

Diferentemente do eu da noite anterior, representando seu papel trágico, meu eu daquela manhã, prestes a deixar a hospedaria, ansiava por carregar as bagagens de Sonoko, assumindo ares frívolos de cavalheirismo. Além do mais, queria fazê-lo na frente de todos, com a intenção deliberada de causar algum efeito. Um constrangimento da parte de Sonoko, mais do que embaraço diante da minha atitude, seria interpretado como receio de ser tratada daquela maneira perante os olhares da avó e da mãe; mas, se assim fosse, era porque ela estava ciente de certa intimidade entre nós dois, a ponto de recear a reação das duas. Meu pequeno artifício deu resultado. Como se fosse um pretexto, ao confiar-me sua bolsa, ela não saiu mais do meu lado. Embora sua amiga de mesma idade também estivesse presente, Sonoko não lhe dirigia a palavra, só conversava comigo; de quando em quando, eu lhe lançava olhares repletos de um estranho sentimento. Sua voz, tão pura e doce que evocava certa tristeza, despedaçava-se ao vento poeirento do início de primavera que soprava bem de encontro a nossos rostos. Eu levantei e abaixei o ombro, verificando o peso de sua bolsa. Era um peso que nem de longe justificava a inquietude que crescia no fundo do meu coração, como a consciência pesada de um fugitivo da justiça... Nem sei se chegáramos ou não aos limites da cidade, quando sua avó começou a reclamar da distância. O banqueiro foi até a estação, e tudo indicava que usara de alguma hábil artimanha, pois logo retornava com dois carros alugados para nosso uso.

— Ei, há quanto tempo!

Minha mão que apertou a de Kusano estremeceu com a sensação de estar tocando a carcaça de uma lagosta espinhosa.

— As mãos... O que aconteceu com elas?

— Ficou surpreso, não é mesmo?

Ele já estava impregnado daquela espécie de desalentada pobreza peculiar aos recrutas novatos. Emparelhou as mãos e estendeu-as diante de mim. As rachaduras e frieiras estavam endurecidas com sujeira e óleo; suas mãos haviam se transformado de fato numa lastimável carcaça de lagosta. Além disso, estavam úmidas e geladas.

Assustaram-me do mesmo modo como a realidade me assusta. Era um medo instintivo. Em meu íntimo, aquelas mãos impiedosas acusavam-me, condenavam-me por algo. Eu as temia por saber que de nada adiantava fingir diante delas. E, enquanto assim refletia, Sonoko adquiriu um novo sentido para mim: ela era minha única armadura, a única cota de malha de minha frágil consciência capaz de resistir àquelas mãos. Senti que, por bem ou por mal, *precisava* amá-la. E esse sentimento tomou a forma de uma obrigação moral, jazendo ainda mais fundo em mim do que a consciência pesada...

Sem saber de nada disso, Kusano disse com inocência:

— Na hora do banho, nem preciso de bucha: basta esfregar com as mãos.

Um leve suspiro escapou dos lábios de sua mãe. Naquele momento, sentia-me nada menos do que um penetra impudico. Sonoko ergueu os olhos em minha direção. Pendi a cabeça. Por absurdo que fosse, sentia-me na obrigação de lhe pedir desculpas por alguma razão.

— Vamos lá para fora.

Constrangido, Kusano pôs-se a empurrar a avó e a mãe com certa rudeza. Sobre o gramado seco do pátio, varrido pelo vento, as famílias sentavam-se em círculos, oferecendo um banquete a seus cadetes. Infelizmente, por mais que esfregasse os olhos, não enxergava beleza na cena.

Logo Kusano também se sentava com as pernas cruzadas no centro de um círculo; com a boca cheia de doces ocidentais, voltava apenas os olhos para apontar na direção de Tóquio. Da região montanhosa em que nos encontrávamos, para além do campo seco, avistava-se o vale por onde se estendia a cidade de M e, mais além, um desfiladeiro formado pelo encontro de duas cadeias baixas de montanhas, onde Kusano dizia localizar-se o céu de Tóquio. As nuvens geladas do início de primavera projetavam uma fina sombra sobre a região.

— A noite passada, ficou tudo vermelho por lá, deve ter sido algo sério. Mesmo sua casa, é difícil saber se ainda continua de pé. Até agora, em nenhum ataque aéreo o céu ficou todo vermelho daquele jeito.

Kusano tagarelava sozinho, com certo ar de autoridade, queixando-se de que não conseguiria dormir em paz uma única noite, a não ser que a avó e a mãe abandonassem a casa o mais rápido possível.

— Entendido. Vamos deixar a casa imediatamente.

Era a avó, que lhe prometia em tom autoritário. Então, ela tirou da faixa do quimono uma pequena caderneta e uma lapiseira da cor da prata envelhecida e do tamanho de um palito de dentes, com a qual anotou algo com toda meticulosidade.

Na viagem de volta, o trem estava melancólico. Até o sr. Ohba, com quem nos encontramos na estação, estava completamente diferente e manteve-se em silêncio. Todos pareciam prisioneiros do amor por "sangue do meu sangue, carne de minha carne", como se ardessem de dor com um sentimento que, em geral mantido oculto, fora virado do avesso. Com o coração desnudo, tinham reencontrado filhos, irmãos mais velhos ou mais novos, netos, revelado tudo o que havia para revelar, e era provável que percebessem agora o vazio de sua nudez, nada mais que uma orgulhosa exibição do próprio sangue jorrando. Quanto a mim, era perseguido pela visão daquelas mãos miseráveis. Já estava quase na hora de acenderem as luzes quando nosso trem chegou à estação O, nos arredores de Tóquio, onde faríamos baldeação.

Ali, pela primeira vez, deparamos com claras evidências dos danos causados pelo ataque aéreo da noite anterior. A passarela estava repleta de feridos. Enrolavam-se em cobertores, seus olhos não viam nada, não pensavam em nada, viam-se apenas seus globos oculares. Havia uma mãe que parecia querer embalar o filho no colo por toda a eternidade, sempre no mesmo ritmo. Uma menina dormia recostada a uma mala de vime, com flores artificiais algo chamuscadas no cabelo.

Ao passarmos, não fomos recebidos sequer por um olhar de censura. Ignoraram-nos em silêncio. Pela simples razão de não termos compartilhado a desgraça com eles, nossa razão de ser era obliterada, não passávamos de sombras.

Contudo, algo começava a inflamar-se dentro de mim. Aquele desfile da "infelicidade" em filas estáticas encorajou-me, deu-me forças. Compreendi a excitação que uma revolução provoca. Todas as coisas que formavam suas vidas, todas elas, aquelas pessoas as viram sendo devoradas pelas chamas. Diante de seus olhos, o fogo consumira as relações interpessoais, os amores, os ódios, a lógica, os bens. Não haviam lutado contra aquelas chamas. Lutaram contra as relações interpessoais, contra os amores, os ódios, a lógica, os bens. Viram-se na mesma situação da tripulação de um navio naufragado: para se salvar uma vida, permite-se o fim de outra. O homem que morrera na tentativa de salvar sua amada não fora morto pelo fogo, mas pela amada, e não fora outro o assassino de uma mãe senão seu próprio rebento, que a fez perder a vida tentando socorrê-lo. As condições do embate que enfrentaram decerto haviam sido as mais universais e elementares com as quais um homem pode deparar em sua vida.

Vi naquelas pessoas vestígios da exaustão que um drama terrível deixa nos rostos dos que o testemunharam. Uma confiança ardente jorrou dentro de mim. Senti-me, ainda que por um ínfimo momento, incrivelmente livre, limpo de todas as minhas inquietações a respeito dos requisitos fundamentais da humanidade. A vontade de gritar encheu-me o peito.

Se eu fosse um pouco mais dotado do poder de introspecção, se tivesse sido abençoado com um pouco mais de sabedoria, talvez pudesse ter enveredado por um exame mais aprofundado dessas condições. Comicamente, porém, o calor de uma espécie de fantasia fez meu braço, pela primeira vez, envolver a cintura de Sonoko. Talvez esse pequeno gesto tivesse bastado para me ensinar que aquilo que é chamado de amor já não significava mais nada para mim. Com meu braço ainda em torno dela, atravessamos apressados a escura passarela, diante de todos. Sonoko não disse nada...

Ao nos olharmos já dentro do outro trem, no entanto, com seu vagão estranhamente claro, percebi em seu olhar, ainda negro e suave, um brilho de desespero.

Na linha circular metropolitana que agora tomávamos, noventa por cento dos passageiros tinham sido vítimas do ataque aéreo. Um cheiro mais perceptível de fogo agitava-se no ar. Todos falavam alto, e com certo orgulho, sobre os perigos pelos quais haviam passado. Tratava-se, na acepção mais literal da palavra, de uma massa "revolucionária". Porque era uma multidão que encerrava em si um descontentamento radiante, uma insatisfação que transbordava triunfo e vivacidade.

Eu fora o único a descer na estação S, separando-me do grupo. A bolsa de Sonoko fora devolvida a suas mãos. Caminhando pelas ruas completamente escuras até chegar em casa, várias vezes a consciência alertou-me de que minhas mãos já não a carregavam. Percebi, então, o importante papel que aquela bolsa desempenhara para nós dois. Ela havia sido o pequeno trabalho pesado. Para que minha consciência não erguesse demais a cabeça, algum peso era sempre necessário, ou, em outras palavras, um trabalho mais penoso.

As pessoas em casa receberam-me de volta como se nada tivesse acontecido. Tóquio era mesmo uma cidade grande.

Depois de dois, três dias, fui à casa dos Kusano levar os livros que prometera emprestar a Sonoko. Nem é preciso enumerar os títulos dos romances que um rapaz de vinte e um anos escolhe para uma menina de dezenove, pois são em geral previsíveis. A alegria que sentia em fazer coisas convencionais era algo excepcional para mim. Sonoko não estava naquele momento, mas voltaria logo; esperei-a na sala de visitas.

Nesse meio-tempo, o céu de início de primavera se enchera de nuvens e começara a chover. Aparentemente, Sonoko fora surpreendida pela chuva no meio do caminho; quando entrou na sala à meia-luz, gotículas de água cintilavam aqui e ali em seus cabelos. Encolhendo os ombros, sentou-se num canto escuro do sofá fundo. De novo, esboçou um sorriso nos lábios. Na penumbra, duas protuberâncias arredondadas emergiam da jaqueta vermelha, na altura do peito.

Com que timidez e escassez de palavras conversamos. Era a primeira oportunidade de ficarmos a sós. Dei-me conta de que boa parte daquela descontraída conversa que havíamos tido no trem, durante a breve viagem, se devera à tagarelice à nossa volta, a suas irmãzinhas. Agora, não havia nem sinal daquela coragem de entregar-lhe uma simples frase escrita num pedaço de papel. Comparando com a vez anterior, sentia-me mais humilde. Eu era um tipo de pessoa que, tendo baixado a guarda, não conseguia evitar a sinceridade, mas não temia apresentar-me daquela forma diante de Sonoko. Esquecera minha habitual representação? Esquecera de que estava determinado a amar como uma pessoa normal? Esquecimento ou não, algo me dizia que não amava aquela garota viçosa. Ainda assim, sentia-me à vontade com ela.

A pancada de chuva passou, e o sol de fim de tarde invadiu a sala.

Os olhos e os lábios de Sonoko brilhavam. Tanta beleza acentuava minha própria debilidade, depositando todo o seu peso sobre mim. Minha aflição, porém, fez com que ela parecesse ainda mais efêmera.

— Mesmo nós — comecei a falar —, não sabemos até quando vamos viver. Imagine se o alarme tocasse agora. A bomba de um avião nos acertaria em cheio.

— Que bom seria!

Ela brincava com as pregas de sua saia xadrez, dobrando-as e juntando-as enquanto falava. Ao erguer o rosto, um fino e débil feixe de luz enquadrou suas faces.

— Se um avião silencioso derrubasse uma bomba bem em cima de nós, enquanto estamos aqui, assim... Não seria bom?

Era uma declaração de amor que ela própria não se dava conta de estar fazendo.

— É... Também acho.

Respondi num tom casual. Sonoko não tinha como saber quanto aquela resposta enraizava-se no meu mais profundo desejo. Recordando-o agora, esse diálogo me parece muito engraçado. Era o tipo de conversa que, em tempos de paz, só poderia ocorrer entre duas pessoas que levam seu amor às últimas consequências.

— Separação pela morte, separação por toda a vida, eu estou cheio disso tudo —, disse em tom cínico, para dissimular meu embaraço. — Você não sente às vezes que, em tempos como estes, o normal é a separação, e o encontro, um milagre? Mesmo agora, o fato de a gente poder conversar assim por alguns minutos, pensando bem talvez seja um verdadeiro milagre...

— É, é o que eu acho também... — ela começou, hesitante. Depois, prosseguiu com uma serenidade austera, mas agradável. — Mal nos encontramos e já vamos nos separar. A senhora minha avó tem pressa de deixar esta casa. Anteontem, assim que retornamos, ela passou um telegrama para minha tia que mora em Nanigashi, na província de N. E esta manhã recebemos um telefonema interurbano. O telegrama dizia: "Procure uma casa". E a resposta de minha tia foi que não existem casas disponíveis numa época como esta, por mais que se procure. Então, nos convidou a ir morar com ela. Diz que se sentirá feliz, porque dessa maneira sua casa ficará mais alegre. A senhora minha avó respondeu na hora que estaremos lá em dois, três dias.

Não consegui sequer balançar a cabeça, em sinal de que a estava escutando. O golpe que senti no coração surpreendeu até a mim mesmo. A ilusão de que tudo permaneceria como estava, de que nós dois passaríamos nossos dias sem conseguir ficar longe um do outro, de súbito estava sendo extraída do bem-estar que sentia a seu lado. Num sentido mais profundo, era uma ilusão em dose dupla. As palavras que declaravam a separação anunciavam também o vazio de nosso encontro presente, desmascaravam a alegria do agora como uma manifestação provisória, e, destruindo a ilusão pueril de que aquilo era eterno, abriam meus olhos para o fato de que, no relacionamento entre homem e mulher, mesmo que não acontecesse a separação, nada permanecia como era, o que acabava com outra ilusão minha. Despertei para essa realidade com o peito em agonia. Por que as coisas não podiam continuar como estavam? A pergunta que me fizera centenas de vezes desde a infância vinha novamente à tona. Por que somos todos oprimidos pela estranha obrigação de destruir tudo, de mudar tudo, de ter de confiar tudo à vicissitude? Seria essa, a mais desagradável das obrigações, o que o mundo chama "vida"? Ou tratava-se de um dever que só se aplicava a mim? Pelo menos uma coisa era certa: eu era o único a sentir essa obrigatoriedade como um pesado fardo.

— Então você está indo embora... Na verdade, mesmo que ficasse, também eu teria de partir em breve...

— Para onde você vai?

— No final de março ou começo de abril, vou ter de voltar a trabalhar e morar em alguma fábrica.

— É perigoso, não é? Os ataques aéreos...

— É perigoso, sim.

Respondi em desespero. E, perturbado, fui-me embora às pressas.

Passei todo o dia seguinte desfrutando da paz de espírito que me propiciou estar livre da obrigação moral de amá-la. Estava alegre, cantando em voz alta, chutando para longe o repugnante Compêndio de Leis.

Aquele estranho otimismo durou o dia inteiro. Caí num sono profundo, como uma criança. O alarme da madrugada tornou a soar, rasgando meu sono. A família toda entrou resmungando no abrigo antiaéreo, mas como nada acontecia, logo ouviu-se a sirene suspendendo o estado de alerta. Eu, que cochilava lá dentro, fui o último a voltar à superfície, com o capacete de aço e o cantil pendurados no ombro.

O inverno de 1945 foi maçante. Embora a primavera já tivesse chegado na ponta dos pés, feito um leopardo, a estação gélida ainda se erguia à sua frente, bloqueando a passagem de forma cinzenta, teimosa, como a porta de uma jaula. Sob a luz das estrelas ainda brilhava o gelo.

Por entre as folhagens das árvores, resistindo ao frio com o verde que emoldurava minha vista, meus olhos recém-despertos detectaram várias estrelas, que pareciam borradas de calor. O ar cortante da noite misturou-se à minha respiração. De repente, fui invadido pela *ideia* de que amava Sonoko, de que um mundo em que não vivêssemos juntos não possuía nenhum valor para mim. Uma voz interior dizia-me para tentar esquecê-la, se possível. Logo em seguida, como se aguardasse com impaciência, tornou a jorrar de mim aquela tristeza capaz de abalar os alicerces de minha existência, como a que sentira ao ver Sonoko na plataforma, à luz do dia.

Era insuportável. Bati os pés no chão com força.

Ainda assim, resisti por mais um dia.

No final da tarde do terceiro dia, fui visitá-la de novo. Um homem, aparentemente um encaixotador, estava postado defronte à entrada, preparando a bagagem. No chão de pedregulhos, havia uma espécie de baú enrolado em esteiras de palha, amarrado com cordões também de palha. A cena perturbou-me bastante.

Foi a avó quem veio me atender. Atrás dela havia pilhas de objetos já empacotados, só aguardando transporte; o hall de entrada estava cheio de restos de palha. Diante da expressão reticente com que ela me recebeu, decidi ir embora logo, sem falar com Sonoko.

— Por favor, entregue estes livros à senhorita Sonoko.

Mais uma vez, como um entregador de livraria, estendi-lhe dois, três romances açucarados.

— Sempre tão gentil, muito obrigada.

E, sem a mínima intenção de chamar a neta, ela prosseguiu:

— Decidimos partir para Nanigashi amanhã à noite. Tudo correu bem, sem imprevistos, partiremos bem antes do que imaginávamos. Vamos alugar esta casa para o senhor T, vai servir de dormitório para os funcionários de sua firma. É doloroso ter de ir embora. E uma pena, minhas netas ficaram tão contentes em conhecê-lo. Por favor, venha visitar-nos em Nanigashi, sim? Mandaremos notícias assim que estivermos instaladas. Não deixe de vir nos visitar.

Não foi desagradável ouvir as palavras precisas e sociáveis da avó. Mas, assim como os dentes de sua dentadura perfilavam-se com demasiada perfeição, suas palavras não passavam de um alinhamento perfeito de algum tipo de matéria inorgânica.

— Espero que passem bem.

Foi a única coisa que consegui dizer. Fui incapaz de pronunciar o nome de Sonoko. Naquele exato momento, como se atraída por minha hesitação, ela apareceu no hall, ao pé da escada. Carregava uma grande caixa de chapéu numa das mãos, e cinco ou seis livros na outra. Seus cabelos ardiam com os raios de sol que incidiam da janela no alto. Ao me reconhecer, ela gritou, assustando a avó:

— Espere um pouco, por favor!

Subiu as escadas correndo, com passos ruidosos. Senti-me no mínimo envaidecido diante da expressão perplexa da avó. A velha senhora, desculpando-se por a casa estar de pernas para o ar com tanta bagagem e por não haver uma sala onde pudesse me receber, desapareceu com ares de atarefada.

Logo Sonoko corria escada abaixo com o rosto muito vermelho. Sem proferir uma única palavra, abaixou-se para calçar os sapatos na minha frente, a um canto apertado do hall de entrada, e, ao levantar-se outra vez, disse que me acompanharia por um trecho do caminho. Naquele seu tom superior, imperativo, havia uma força que me emocionou. Girando um boné de uniforme nas mãos, num gesto ingênuo, eu observava seus movimentos, mas dentro de mim sentia como se algo houvesse detido por completo os nossos passos. Passamos pela porta quase nos resvalando. Andamos em silêncio pelo caminho de pedregulhos que descia até o portão. De repente, Sonoko parou para amarrar de novo um cordão do sapato. Estranhei sua demora e prossegui até o portão, onde a esperava observando o movimento da rua. Não percebera o gracioso artifício de uma garota de dezenove anos. Ela queria que eu me adiantasse um pouco.

De súbito, atrás de mim, sua mão puxou a manga direita do meu uniforme. Senti um choque como se, caminhando distraído, tivesse sido atropelado por um automóvel.

— Olha... isto aqui...

O canto de um duro envelope em estilo ocidental espetou a palma da minha mão. Quase o amassei todo, como alguém que estrangula um passarinho. Não conseguia acreditar no peso que aquela carta fazia em minha mão. Como se fosse algo proibido, olhei de relance para o envelope, do tipo preferido pelas estudantes.

— Depois... leia quando estiver em casa.

Ela sussurrou baixinho e sem fôlego, como se alguém lhe fizesse cócegas. Perguntei-lhe então:

— Para onde devo mandar a resposta?

— Dentro... está escrito... o endereço em Nanigashi. Mande para lá.

Parece estranho, mas de repente a separação encheu-me de expectativa. Era como aquele momento prazeroso do esconde-esconde em que todos correm na direção que bem entendem, enquanto o "caçador" começa a contar. Eu possuía um inusitado dom para levar tudo na brincadeira. Graças a esse perverso talento, minha covardia era com frequência confundida com coragem, enganando até a mim mesmo. Trata-se, no entanto, de um dom do ser humano que nada escolhe na vida; pode-se mesmo chamá-lo de doce, compensador.

Despedimo-nos na catraca da estação. Sem ao menos apertar as mãos.

A primeira carta de amor que recebia em toda a minha vida deixou-me em êxtase. Não pude esperar até chegar em casa e abri o envelope dentro do trem, sem me importar com olhares alheios. Muitos cartões com desenhos de silhuetas, postais coloridos importados, que fazem a alegria de qualquer estudante de escola missionária, quase se esparramaram pelo chão. Havia um papel azul de carta dobrado e, sob um desenho da Disney com Chapeuzinho Vermelho e o Lobo, ela escrevera com traços caprichados, que lembravam aulas de caligrafia:

Eu lhe agradeço muito por sua gentileza em emprestar-me os livros. Graças a você, pude apreciar a leitura com profundo interesse. Oro de todo coração para que você fique bem, mesmo durante os ataques aéreos. Assim que nos instalarmos, mandarei notícias. O endereço segue abaixo. As coisas incluídas no envelope são insignificantes, mas por favor aceitei--as como um sinal de minha gratidão.

Que magnífica carta de amor! Lá se ia o meu êxtase. Empalideci e comecei a rir. Quem iria responder a uma carta daquelas, pensei. Seria como responder a uma carta impressa de agradecimento.

Durante os trinta, quarenta minutos até chegar em casa, porém, a vontade inicial de responder levantou-se gradualmente em defesa daquele meu precipitado êxtase. Logo imaginei que a educação que ela recebia em casa não favorecia a arte de escrever cartas de amor. Como era a primeira vez que escrevia a um homem, sua mão decerto vacilara diante de dúvidas as mais diversas. A atitude dela naquela tarde com certeza evidenciara mais conteúdo do que aquela carta esvaziada.

De súbito, fui tomado por uma raiva que vinha de outra direção. Descarreguei-a de novo no Compêndio de Leis, jogando-o contra a parede do quarto. Como você é molenga, repreendi-me. Esperar que uma menina de dezenove anos se apaixone por você só porque se aproximou dela com interesse? Por que não tomou logo a ofensiva? Sei que o motivo de sua hesitação é aquela estranha e indescritível inquietude. Mas então por que foi visitá-la de novo? Reconsidere os fatos. Quando você tinha quinze anos, vivia como outros meninos da sua idade. Aos dezessete, também conseguia equiparar-se mais ou menos aos outros. Mas e agora, que tem vinte e um? Aquela profecia do seu amigo segundo a qual você morreria aos vinte ainda não se cumpriu e, por enquanto, a esperança de morrer em combate também lhe foi extirpada. E nessa idade não sabe o que fazer com a paixão inédita por uma garota de dezenove anos, totalmente inexperiente? Puxa, que formidável progresso! Aos vinte e um anos, pensa em trocar cartas de amor pela primeira vez — será que você não calculou errado a sua idade? Além disso, a essa altura, não sabe nem o que é um beijo, não é mesmo? Atrasado, repetente!

E logo uma outra voz, sombria e insistente, ridicularizava-me. Havia nela uma honestidade quase febril, um sabor humano que eu jamais experimentara até então. Bombardeou-me com rápidas e sucessivas lanças. É amor? Está bem. Mas você sente desejo por mulheres? Não estaria se iludindo, dizendo a si mesmo que somente nela não tinha nenhum "interesse vil", tentando esquecer-se de que você nunca sentiu desejo por mulher nenhuma? Será que está qualificado a usar o adjetivo "vil"? Teve alguma vez o desejo de ver uma mulher nua? Já imaginou, pelo menos uma vez, Sonoko nua? Você, que é especialista em fazer analogias, já deve ter percebido por que um homem da sua idade quando vê uma jovem mulher não consegue deixar de imaginá-la nua, certo? Por que digo estas coisas? Tente perguntar ao seu coração. Que tal uma pequena correção na sua analogia? A noite passada, antes de pegar no sono, você não se entregou a um velho hábito? Pode dizer que é como uma prece, se quiser. Uma insignificante cerimônia pagã que todos praticam. Um sucedâneo não é tão desagradável de usar quando a gente se acostuma, certo? Sobretudo se se trata também de um calmante de pronto efeito. Mas com certeza não foi em Sonoko que você pensou, foi? Seja como for, sua fantasia é estranha, bizarra, a ponto de fazer saltar até olhos como os meus, que estou sempre a seu lado, observando você. À tarde, você anda pelas ruas lançando olhares insistentes apenas a soldados, jovens marinheiros. São rapazes da idade de sua preferência, bem queimados de sol, lábios nada sofisticados, nenhum sinal de inteligência neles. Assim que seus olhos os veem, você logo começa a tirar-lhes as medidas, não é? Por acaso pretende se tornar alfaiate depois de se formar na faculdade de direito? Você adora a cintura flexível de jovens sem estudos, com o corpo de um filhote de leão e na faixa dos vinte anos, não é isso? Quantos deles você despiu ontem na imaginação, em um único dia? Aí dentro, você parece ter aqueles apetrechos para coletar espécimes de plantas. Durante o dia, colhe os corpos nus de alguns efebos e os armazena. Depois, na cama, escolhe aquele que será oferecido em sacrifício em sua cerimônia pagã. Seleciona algum que lhe cativa. O que vem a seguir é simplesmente repugnante. Você leva sua vítima até um estranho pilar hexagonal. Então, com uma corda que traz escondida, amarra seu corpo nu ao pilar, com as mãos para trás. São necessários muitos gritos, muita resistência para que você se satisfaça. Detalha a ela os pormenores da morte. Enquanto isso, você esboça nos lábios um estranho e inocente sorriso e retira do bolso uma faca afiada. Aproxima-se da vítima e acaricia-lhe a pele retesada do flanco, fazendo cócegas com a ponta da lâmina. Ela grita em desespero, contorce o corpo na tentativa de esquivar-se da faca, seu coração aterrorizado parece sair pela boca, as pernas nuas tremem e os joelhos se chocam um contra o outro. A faca penetra-lhe o flanco com força. Sim, é você quem comete esse ato de violência. Ela arqueia o corpo, solta um grito angustiado, solitário, e os músculos ao redor da ferida sofrem um espasmo. A faca é calmamente fincada na carne encrespada, como se guardada na bainha. Espirra um jato de sangue, jorra adiante, escorrendo na direção das coxas macias.

A alegria que você sente nesse momento é um genuíno sentimento humano. Porque é nesse exato instante que você adquire a normalidade — sua ideia fixa. Não importa o objeto do desejo, você se excita até as profundezas da carne e, no que diz respeito à normalidade dessa excitação, ela não difere em nada da dos outros homens. Seu ser estremece de agoniante e primitiva satisfação. No coração, renasce a profunda alegria de um selvagem. Seus olhos brilham, o sangue arde por todo o seu corpo, você transborda daquela manifestação de vida que as tribos primitivas carregam em si. Mesmo depois da ejaculação, um canto selvagem de exultação permanece em seu corpo, você não é invadido por aquela tristeza que se segue à relação sexual entre um homem e uma mulher. Resplandece em meio a uma solidão libertina. Flutua por um momento na memória de um rio antigo e gigantesco. Talvez, por alguma coincidência, a derradeira memória emotiva experimentada pela força vital de seus ancestrais selvagens tenha se apoderado por completo de suas funções e prazeres sexuais. Mas você está muito ocupado, querendo disfarçar o quê? Não sou capaz de entender essa sua necessidade de ficar falando em amor ou em alma, logo você, que, à sua maneira, às vezes consegue sentir o profundo prazer da existência humana.

Vou lhe dar uma ideia, veja o que você acha. Que tal apresentar a Sonoko a obra máxima que seria esta sua exótica tese de doutorado: uma sublime dissertação intitulada "Do relacionamento funcional entre as curvas do torso de um efebo e o volume do fluxo sanguíneo"? Em poucas palavras, o torso selecionado por você é macio, flexível, perfeito, um daqueles jovens pelos quais o sangue, ao escorrer, traça as curvas mais sutis, não é mesmo? Você decerto vai selecionar um torso capaz de proporcionar as estampas mais belas e naturais sob o sangue que escorre, algo como um tortuoso riacho que corta uma planície, ou os veios deixados à mostra por uma antiga e enorme tora apartada de uma árvore, certo? Há alguma incongruência no que estou dizendo?

Não, não havia.

Meu poder de autoanálise, porém, estruturava-se de uma maneira que desafiava a imaginação, como uma argola que se faz torcendo apenas uma vez uma tira de papel longa e estreita, colando-se depois as duas pontas. O que parecia ser o interior era o exterior, e o que se pensava ser o exterior era o interior. Com os anos, essa passagem de um lado ao outro foi ficando mais lenta, mas, aos vinte e um, minhas análises giravam como que de olhos vendados em torno da órbita de minhas emoções e, graças à perturbadora sensação de fim de mundo do período final da guerra, a velocidade dessas rotações tornou-se quase vertiginosa. Não havia tempo para o exame cuidadoso de causas, efeitos, contradições, confrontações. As contradições permaneciam como tais, esfolando-se umas às outras numa velocidade que a vista não conseguia apreender.

Uma hora depois, a única coisa em que conseguia pensar era em dar uma resposta inteligente à carta de Sonoko...

As cerejeiras agora floresciam. Mas ninguém parecia ter tempo para ir apreciar as flores. Creio que os estudantes da minha faculdade eram as únicas pessoas que podiam ver as cerejeiras de Tóquio. Na volta para casa, depois das aulas, eu costumava passear entre elas, às margens do lago S, sozinho ou com dois, três amigos.

As flores pareciam de uma exuberância incomum naquele ano. Em parte alguma viam-se as cortinas listradas de branco e vermelho usadas nos piqueniques mais intimistas, normalmente tão comuns entre as cerejeiras que pareciam compor sua indumentária; tampouco havia movimento nas barracas de chá, multidões apreciando as flores ou vendedores de balões e cataventos; as cerejeiras floresciam à vontade em meio ao verde, dando-nos a impressão de estarmos vendo seus corpos desnudos. A generosidade gratuita da natureza, sua extravagância fútil, nunca me parecera tão bela como naquela primavera, chegando mesmo a despertar minha suspeita. Fui tomado por uma incômoda desconfiança de que a natureza reclamava a Terra de volta para si. Pudera, o esplendor daquela estação não era uma coisa qualquer. O amarelo das flores de mostarda, o verde da grama nova, o negro dos viçosos troncos das cerejeiras, o pesado dossel de flores pendendo das copas, tudo isso refletia em meus olhos com uma vivacidade de cores cingida de malevolência. Era uma conflagração de matizes.

Certo dia, andávamos pelo gramado entre as cerejeiras enfileiradas e o lago, discutindo alguma insignificante teoria legal. Nessa época, eu adorava a ironia das aulas sobre direito internacional do professor Y. Em meio aos ataques aéreos, sem se alvoroçar, ele continuava com suas palestras sobre a Liga das Nações, que poderia ruir a qualquer momento. Eu me sentia numa aula de majongue ou xadrez. Paz! Paz! O som longínquo daquele sino ininterrupto não passava de um zumbido para mim.

— Mas não se trata de uma questão relativa ao direito absoluto de reivindicar propriedades?

Era A quem falava, um estudante caipira e bem moreno que, apesar do porte físico avantajado, sofria de infiltração pulmonar já em estado avançado, doença que o salvara do serviço militar.

— Basta! Vamos parar com esta conversa ridícula! — interrompeu B, um rapaz pálido que, já a primeira vista, se percebia ser tuberculoso.

— No céu, aviões inimigos; na terra, leis… ora! — ri com escárnio. — Então isso é glória nas alturas e paz na terra?

Eu era o único que não sofria de fato dos pulmões. Fingia ser cardíaco. Vivíamos uma época em que era preciso ter condecorações ou doenças.

De repente, o som de pés no gramado sob as cerejeiras nos deteve. O dono daqueles passos olhou em nossa direção e também pareceu assustar-se. Era um rapaz num encardido uniforme de trabalho e calçando *gueta*, as típicas sandálias de madeira. Percebi que era jovem pela cor do cabelo cortado bem rente, tudo que se podia ver sob o boné de combate, porque seu rosto opaco, a desleixada barba rala por fazer, mãos e pés manchados de óleo e o pescoço enegrecido ao redor da gola mostravam um cansaço miserável, incompatível com sua idade. Atrás dele, numa linha diagonal, estava uma garota cabisbaixa, aparentemente amuada. Tinha o cabelo puxado para trás e preso num rabo de cavalo, vestia uma blusa cáqui, cor do uniforme militar, e *monpe* raiada — esta última, a única coisa que apresentava aspecto novo e ares de frescor. Tudo indicava que eram operários recrutados pela mesma fábrica e que estavam ali para um encontro às escondidas. Decerto, tinham matado o dia de trabalho para ver as flores. Devem ter achado que éramos policiais militares e se assustaram ao nos ver.

Os namorados passaram por nós sem levantar a cabeça, apenas erguendo os olhos de maneira rápida e desagradável em nossa direção. Depois disso, não sentimos muita vontade de continuar falando.

Antes de as cerejeiras atingirem sua plenitude, a faculdade de direito tornou a suspender as aulas, e os estudantes foram mobilizados para um arsenal naval distante alguns quilômetros da baía S. Na mesma época, minha mãe, irmã e meu irmão deixaram a cidade para ir morar com meu tio, que tinha um pequeno sítio no subúrbio. Na residência em Tóquio, restou apenas o estudante que morava conosco e ajudava nos serviços da casa, um ginasiano precoce, para cuidar de meu pai. Nos dias em que não havia arroz, ele amassava soja cozida no pilão e fazia uma papa que mais parecia vômito, dando de comer a meu pai e a si próprio. Quando o patrão não estava, comia escondido o escasso estoque de alimentos que ainda havia na casa.

A vida no arsenal era folgada. Fui incumbido de trabalhar na biblioteca e nas escavações de abrigos antiaéreos. Juntamente com alguns jovens operários de Formosa, eu escavava um túnel para o caso de a fábrica de peças precisar ser abandonada às pressas. Aqueles diabinhos de doze, treze anos de idade eram meus melhores companheiros. Ensinavam-me sua língua e, em troca, eu lhes contava contos de fadas. Tinham certeza de que o deus de Formosa os salvaria de ataques aéreos e de que algum dia os levaria de volta para a terra natal, sãos e salvos. O apetite deles atingia proporções imorais. Uma vez, com arroz e verduras roubados do responsável pela cozinha, um dos espertinhos fez *yakimeshi*, típico risoto chinês, fritando tudo numa abundância de óleo lubrificante. Recusei o banquete, que parecia ter gosto de engrenagem.

Em pouco menos de um mês, a troca de cartas com Sonoko tornava-se um tanto especial. Nelas, comportava-me sem reservas, com ousadia. Certa manhã, ao retornar para o arsenal depois do toque da sirene, suspendendo o estado de alerta, minhas mãos tremeram ao ler a carta deixada sobre minha mesa. Entreguei-me a uma leve embriaguez. Em minha boca, eu saboreava uma frase em particular:

"Estou com saudade de você..."

A ausência encorajava-me. A distância concedia-me "normalidade". Ou seja, dispunha dela agora como de um emprego temporário. Apartadas no tempo e no espaço, as pessoas adquirem uma qualidade abstrata. Talvez graças a essa abstração, minha devoção cega por Sonoko e meu excêntrico desejo sexual, do qual ela não era objeto, tinham se fundido num único corpo homogêneo dentro de mim, proporcionando-me uma existência desprovida de qualquer contradição no interior de cada fração de tempo. Estava livre. Meu dia a dia era de um prazer inexprimível. Corria um rumor de que em breve os inimigos desembarcariam na baía S e tomariam toda a redondeza, o que tornou a intensificar em mim, ainda mais do que antes, a esperança da morte iminente. Assim sendo, estava realmente "esperançoso em relação à vida"!

* * *

Num sábado, em meados de abril, voltei para casa, em Tóquio, depois de um longo tempo sem permissão para sair. Pretendia apanhar ali alguns livros de minha estante para ler na fábrica e partir logo para o subúrbio onde morava minha mãe e onde eu passaria a noite. Mas, já no trem para Tóquio, soou a sirene de alerta e, enquanto a composição parava e tornava a andar, de repente fui tomado por calafrios. Senti uma violenta tontura, e uma moleza febril espalhou-se por meu corpo. Acostumado, percebi que eram sintomas de amigdalite. Ao chegar em casa, mandei o estudante estender o acolchoado de futom e logo me deitei.

Passado algum tempo, uma animada voz feminina proveniente do pé da escada ecoou em minha testa febril. Ouvi passos nos degraus e, depois, saltitando pelo corredor. Abri um pouco os olhos e vi a barra de um quimono de estampas grandes.

— Mas o que é isso? Seu preguiçoso!

— Ah, é você, Chako?

— O que quer dizer "ah, é você"? Não nos vemos há cinco anos!

Era a filha de um parente distante. Seu nome era Chieko, mas todos na família a chamavam Chako. Era cinco anos mais velha do que eu. Havíamos nos visto pela última vez em seu casamento, mas desde que o marido morrera em combate no ano anterior, ouvia boatos de que ela ficara estranhamente alegre. E, como pude constatar, era uma animação capaz de impedir-me de expressar minhas condolências. Permaneci calado, estarrecido. Seria melhor se tirasse aquela enorme flor branca artificial do cabelo, pensei comigo.

— Estou aqui hoje porque tenho um assunto para resolver com Tatchan — disse ela, tratando meu pai, Tatsuo, com intimidade. — Vim pedir-lhe um favor relacionado às coisas lá de casa. Outro dia, meu pai encontrou Tatchan em algum lugar, e parece que ele disse que poderia nos indicar um bom lugar para guardá-las.

— Meu pai deve voltar para casa um pouco tarde hoje. Mas isso não tem importância... — seus lábios, demasiado vermelhos, inquietaram-me. Talvez por causa da febre, aquele carmesim parecia furar-me os olhos, piorando minha dor de cabeça.

— Você está muito... Maquiada assim nos dias de hoje, ninguém fala nada quando você anda pelas ruas?

— Puxa, você já tem idade para ficar se preocupando com a maquiagem de uma mulher? Deitado desse jeito, ainda parece um bebê que acabou de ser desmamado!

— Não enche! Vá embora!

Ela se aproximou de propósito. Como não queria que me visse de pijamas, puxei as cobertas até o pescoço. De súbito, a palma de sua mão esticava-se sobre minha testa. Aquele toque gelado pareceu espetar-me, mas me fez bem.

— Está quente. Já mediu a temperatura?

— Exatos trinta e nove graus.

— Precisa de gelo.

— Gelo, imagine... Aqui não tem.

— Vou dar um jeito nisso.

Chieko desceu alegre as escadas, com as mangas do quimono batendo uma na outra. Logo voltou e se sentou outra vez, aparentemente calma.

— Mandei aquele menino ir buscar.

— Obrigado.

Eu olhava para o teto. Quando ela apanhou o livro na cabeceira da cama, sua manga de seda gelada tocou meu rosto. De repente, eu queria aquelas mangas frias. Pensei em pedir que as pusesse sobre minha testa, mas desisti. O quarto começava a ficar escuro.

— Como aquele menino demora!

Uma pessoa febril percebe com exatidão doentia a passagem do tempo. Sabia que ainda era cedo para ela reclamar da "demora". Passados dois, três minutos, voltou a dizer:

— Que demora! O que será que aquele menino está fazendo?

— Não está demorando coisa nenhuma! — exclamei, nervoso.

— Coitadinho, está com os nervos à flor da pele, não é mesmo? Feche os olhos. Não fique encarando o teto com este olhar medonho!

Fechei os olhos, e o calor confinado nas pálpebras torturou-me. Senti, de súbito, algo tocar minha testa. Vinha acompanhado de um hálito débil. Virei o rosto, soltando um suspiro sem sentido. Então, um respirar inusitadamente cálido misturou-se a meu suspiro e, de repente, meus lábios foram cobertos por algo pesado, gorduroso. Nossos dentes se chocaram, ruidosos. Tive medo de abrir os olhos e ver o que estava acontecendo. Dali a pouco, suas palmas geladas agarravam com firmeza minhas faces.

Assim que Chieko se afastou, levantei-me um pouco. Fitamo-nos na penumbra. Suas irmãs eram tidas por libertinas. Via, agora, com meus próprios olhos, que o mesmo sangue ardia com furor em suas veias. Aquele fogo que a consumia, porém, entrou em estranha e inexplicável sintonia com a febre provocada por minha enfermidade. Sentei-me no leito e pedi-lhe:

— Mais uma vez.

Até a volta do menino, continuamos a nos beijar sem cessar.

— Só beijos, viu? Só beijos... — ela dizia o tempo todo.

Não sei dizer se senti ou não algum desejo sexual enquanto a beijava. Seja como for, a tal "primeira vez" não deixa de ser em si um tipo de desejo carnal e, por isso, seria talvez inútil querer traçar distinções nesse caso. De nada adiantaria pretender extrair de meu estado de embriaguez o elemento *conceitual*. O importante era que me tornara um "homem conhecedor do beijo". Como o menino que, em visita a alguém, é servido de um doce gostoso e de imediato quer dividi-lo com a irmãzinha, eu, abraçado a Chieko, não parava de pensar em Sonoko. A partir daí, minha fantasia concentrou-se em querer beijá-la. Foi o primeiro e o mais grave erro de cálculo que cometi.

À medida que pensava em Sonoko, aquela primeira experiência foi se tornando uma coisa feia. No dia seguinte, quando Chieko me telefonou, eu menti, dizendo-lhe que voltaria na manhã seguinte para o arsenal. Tampouco compareci ao encontro às escondidas que havíamos combinado. Fechei os olhos à realidade de que a razão de minha frieza anormal encontrava-se no fato de não ter sentido prazer naquele primeiro beijo; em vez disso, convenci-me de que ele me parecia repugnante porque eu amava Sonoko. Era a primeira vez que usava o amor por ela como disfarce para meus verdadeiros sentimentos.

Como um menino e uma menina experimentando o primeiro amor, nós dois trocávamos fotos. Eu recebera uma carta em que Sonoko dizia ter posto minha fotografia dentro de um medalhão que ela usava pendurado na altura do peito. A que me enviara, por sua vez, era tão grande que só cabia dentro de uma pasta. Não cabia nem no meu bolso e, por isso, eu a carregava embrulhada num lenço. Levava-a comigo também quando voltava para casa, temendo que a fábrica pegasse fogo na minha ausência. Certa vez, quando retornava para o arsenal, o trem noturno foi surpreendido pelas sirenes e as luzes se apagaram. Logo tivemos de correr em busca de abrigo. Procurei pela prateleira de bagagens às apalpadelas. Mas o pacote que eu pusera ali junto com o lenço fora roubado. Sendo eu supersticioso por natureza, a partir daquele momento a ansiedade por ir vê-la o quanto antes começou a me perseguir.

O ataque aéreo da noite de 24 de maio, como o da madrugada de 9 de março, me fez tomar uma decisão. Talvez meu relacionamento com Sonoko necessitasse do tipo de miasma emanado por aqueles vários infortúnios. Como uma espécie de composto químico que só se produz mediante a ação de ácido sulfúrico.

Desembarcamos e procuramos abrigo nos inúmeros túneis escavados ao longo do ponto em que a planície encontrava as colinas. De lá, vimos o céu de Tóquio se tornar carmesim e arder. De quando em quando, explosões lançavam seus reflexos para o alto e então, por entre as nuvens, espreitava-se um inusitado céu azul de dia pleno. No meio da noite, surgia um momentâneo horizonte de anil. Os holofotes impotentes, as *search-lights*, mais pareciam dar as boas-vindas aos aviões inimigos, com frequência abrigando suas asas cintilantes bem no meio de dois débeis fachos de luz que se entrecruzavam; dessa forma, passavam aquele bastão luminoso de mão em mão a holofotes cada vez mais próximos de Tóquio, conduzindo-o com cortesia. Naqueles dias, o fogo dos canhões antiaéreos não era dos mais pesados. Os B-29 alcançaram o céu de Tóquio com facilidade.

De onde estávamos, era possível distinguir os aliados dos inimigos no combate aéreo que se travava sobre a capital? Independentemente disso, a multidão de observadores aplaudia em uníssono quando avistava a silhueta de um avião atingido que caía contra o fundo carmesim. De todos, os jovens operários eram os mais barulhentos. Dos túneis espalhados ecoavam aplausos e ovações como num teatro. Para os espectadores que observavam à distância, não fazia muita diferença se o avião abatido era inimigo ou um dos nossos. Assim é a guerra...

Ao amanhecer, parti na direção de casa pisando em dormentes ainda fumegantes; atravessei as pontes de ferro equilibrando-me sobre tábuas estreitas e chamuscadas, caminhando por uma linha férrea que havia sido desativada. Descobri que só a área próxima à minha casa permanecera intacta. Minha mãe, minha irmã e meu irmão haviam dormido lá por acaso e, contrariando as expectativas, estavam bastante animados, a despeito do bombardeio noturno. Sobreviventes, comemoravam comendo uma lata de *yookan*, doce de feijão em pasta, que fora desenterrada do porão.

— Meu irmão, você está apaixonado por alguém, não está? — perguntou-me minha irmã travessa ao entrar em meu quarto.

— Quem lhe disse uma coisa dessas?

— Eu percebo, viu?

— Não posso me apaixonar por alguém?

— Não, não é isso... Quando você vai se casar?

Fiquei sem reação. Senti-me como um fugitivo da justiça a quem, ignorantes de sua culpa, perguntam sobre o crime cometido.

— Casamento? Não vou me casar.

— Que imoralidade! Você se apaixona por alguém já pensando, desde o início, em não se casar com ela? Credo, como os homens são ruins!

— Se você não sumir daqui, vai tomar um banho de tinteiro!

Uma vez sozinho, comecei a conversar comigo mesmo. Não tinha pensado nisso. O casamento é uma possibilidade neste mundo, assim como ter filhos. Como pude me esquecer disso? Ou fingi ter esquecido? Era mera ilusão dizer que o casamento era felicidade demasiado minúscula para seguir existindo num momento em que a guerra aproximava-se da catástrofe final. Na verdade, essa instituição talvez fosse uma felicidade *de extrema importância* para mim. Importante o bastante para eriçar os pelos do meu corpo...

Foram esses pensamentos que me levaram a tomar a decisão contraditória de ir ao encontro de Sonoko o mais rápido possível. Aquilo era amor? Ou, antes, a bizarra e veemente paixão pela insegurança e o medo interiores, o desejo de brincar com fogo?

Recebi várias cartas de Sonoko, sua avó e sua mãe, convidando-me para ir visitá-las. Como não me sentiria à vontade na casa de sua tia, escrevi a Sonoko pedindo que procurasse um hotel para mim. Ela procurou por vaga em todos os hotéis de Nanigashi. Mas não conseguiu nenhuma, porque ou tinham se transformado em repartição pública ou estavam sendo utilizados para confinar alemães.

Hotel... Dei asas à imaginação. Era a realização de minha fantasia de criança. Por outro lado, era também má influência de leituras absortas de histórias de amor. De resto, eu tinha mesmo algo de quixotesco em meu modo de pensar. Havia muitos leitores vorazes de histórias de cavalaria à época de Dom Quixote. Mas para que tantos se intoxicassem com tais aventuras, foi preciso existir um Dom Quixote. Meu caso não era diferente.

Hotel. Quarto privado. Chaves. Cortinas na janela. Doce resistência. Consenso mútuo para o início da batalha... Nesse momento, nesse exato momento, eu deveria *ser capaz*. Sim, como uma inspiração dos céus, a normalidade arderia em chamas dentro de mim. Com certeza renasceria como uma outra pessoa, um homem íntegro, como se libertado de um espírito maligno. E nesse momento, sem hesitação, abraçaria Sonoko, seria capaz de amá-la com todas as minhas forças. Dúvidas e aflições seriam varridas por completo, e eu conseguiria dizer-lhe do fundo do coração: "Eu te amo". A partir daí, poderia até mesmo andar pelas ruas em meio a um ataque aéreo e gritar a plenos pulmões: "Esta é minha amada".

No interior da personalidade romântica viceja uma sutil descrença em relação ao espírito, o que em geral conduz à imoralidade das fantasias recorrentes. Ao contrário do que se costuma pensar, o ato de devanear não ocorre pela ação do espírito: é uma forma de escapar dele...

O sonho do hotel não se realizou. No final, não havia hotel disponível em Nanigashi, e Sonoko escreveu-me várias vezes pedindo que ficasse na casa. Concordei, enfim, e fui invadido por uma sensação de alívio semelhante à exaustão. Por mais que quisesse me convencer do contrário, não foi resignação o que senti, e sim alívio.

Parti no dia 12 de junho. O clima no arsenal naval era cada vez mais de indiferença. Qualquer pretexto servia para se obter uma folga.

O trem estava sujo e vazio. Por que será que, à exceção daquela jornada divertida, todas as minhas lembranças de viagens de trem durante a guerra são tão lastimáveis? Ao sabor do trepidar dos vagões, o que me torturava agora era uma ideia fixa mesquinha e infantil. Estava determinado a não deixar Nanigashi sem ter beijado Sonoko. Era, no entanto, uma determinação diferente daquela repleta do orgulho de quem luta contra o acanhamento para alcançar seu desejo. Sentia-me como um ladrão a caminho de um delito. Como um medroso aprendiz que vai participar de um assalto contra a sua vontade, coagido pelo chefão. A felicidade de ser amado picara minha consciência. Ou talvez buscasse algo ainda mais decisivo: a infelicidade.

Sonoko apresentou-me a sua tia. Eu agia com afetação. Esforçava-me ao máximo. Parecia-me que todos se perguntavam em silêncio: "O que será que Sonoko viu neste homem para se apaixonar? Que universitário mais branquelo e insolente! O que ele tem de bom?".

Devido à louvável intenção de causar boa impressão a todos, não agi de maneira antissocial, como o fizera da outra vez, no trem. Ajudava suas irmãzinhas nas lições de inglês e ouvia com atenção as antigas histórias da avó sobre seus dias em Berlim. Curiosamente, sentia Sonoko mais próxima de mim ao agir dessa forma. Na presença da avó, da mãe, quantos não foram os olhares ousados que troquei com ela. Sob a mesa, na hora das refeições, nossos pés se tocavam. Ela também, pouco a pouco, foi se entusiasmando com as brincadeiras e, certa vez, quando a avó me entediava com longas histórias, Sonoko debruçou-se sobre uma janela através da qual eu podia ver as folhas verdes contra o céu nublado da estação de chuvas e, por trás da velha senhora, de forma que somente eu pudesse ver, ergueu na ponta dos dedos o medalhão que trazia no peito, agitando-o para mim.

Como era alvo seu colo, delineado pela gola em meia-lua do vestido. De um branco de acordar meus olhos! Contemplando seu sorriso à janela, pude compreender aquele "sangue libertino" que tingia as faces de Julieta. Há um tipo de licenciosidade que somente às virgens cai bem. Difere do das mulheres maduras, inebria como a brisa. É como algo que, embora de mau gosto, não deixa de ser gracioso, como, por exemplo, querer fazer cócegas num bebê.

Era em momentos assim que meu coração tendia a embriagar-se de felicidade. Já fazia muito tempo que não me aproximava do fruto proibido da felicidade. Mas ela agora me tentava com persistência melancólica. Sonoko era para mim como um abismo à beira do qual eu me equilibrava.

* * *

O tempo passou e restavam-me apenas dois dias até o retorno ao arsenal naval. Ainda não havia cumprido a obrigação que me impusera: beijá-la.

A garoa fina da estação das chuvas envolvia toda a região montanhosa. Peguei uma bicicleta emprestada e fui ao correio postar uma carta. Sonoko faltaria ao serviço naquela tarde e, como já estava na sua hora de deixar a repartição pública em que se empregara para escapar a uma eventual convocação para o trabalho numa fábrica militar, combinamos de nos encontrar no correio. Passei por uma solitária quadra de tênis abandonada; a cerca enferrujada ao seu redor gotejava chuva fina. Um menino alemão de bicicleta passou bem perto de mim, o cabelo loiro e as mãos brancas reluzindo umidade.

Enquanto esperava Sonoko no interior do antigo edifício, começou a clarear um pouco lá fora. Parara de chover. Aquele instante de tempo bom era apenas uma estiada. As nuvens não haviam se dissipado, e a luz apenas adquirira uma tonalidade platinada.

A bicicleta de Sonoko parou do outro lado da porta de vidro. Seu peito ofegava, ela respirava pelos ombros molhados, mas esboçava um sorriso no rosto corado e saudável. "É agora, ataque!", sentia-me um cão de caça sendo instigado. Aquela noção de obrigatoriedade possuía um quê de imposição diabólica. Montei na minha bicicleta e, lado a lado, percorremos a rua principal de Nanigashi até o fim.

Pedalávamos por entre pinheiros-alvar, bordos, bétulas. As árvores pingavam gotículas brilhantes. Seu cabelo estava lindo, esvoaçante ao sabor do vento. Suas coxas saudáveis pedalavam com vigor. Ela parecia a imagem da própria vida. Ao passarmos pela entrada de um campo de golfe já sem uso, descemos das bicicletas e começamos a caminhar pela alameda molhada que o circundava.

Eu estava tenso como um recruta. Lá adiante há algumas árvores. Aquela sombra cai como uma luva. São uns cinquenta passos até lá. Depois do vigésimo, puxo conversa com ela. É preciso quebrar o gelo. Durante os trinta passos restantes, basta falar sobre coisas banais. Cinquenta passos. Baixo o suporte da bicicleta, olho para a paisagem na direção das montanhas, passo meu braço sobre seu ombro e lhe digo em voz baixa algo como: "Parece um sonho estar aqui com você". Ela me responde qualquer incoerência, eu aplico alguma força na mão que está sobre seu ombro, trago-a para mim. A técnica do beijo não vai diferir daquela com Chieko...

Jurei que desempenharia fielmente o meu papel. Não havia nem amor nem desejo...

Na verdade, Sonoko estava em meus braços. Respirava ofegante, seu rosto estava em brasa, ela cerrara os cílios volumosos. Seus lábios eram infantis e belos, mas não despertavam meu desejo. A cada momento, minha esperança se renovava de que algo aconteceria dentro de mim. No beijo, talvez minha normalidade, meu amor sem fingimento viesse à tona. A máquina avançava com velocidade máxima. Ninguém podia detê-la.

Cobri seus lábios com os meus. Passou-se um segundo. Não senti prazer nenhum. Passaram-se dois segundos. A mesma coisa. Três segundos... Compreendi tudo.

Afastei-me e, por um instante, lancei-lhe um olhar de tristeza. Se ela visse meus olhos naquele momento, com certeza leria neles uma indicação da natureza indefinível do meu amor. Ninguém poderia afirmar com certeza se aquele amor era ou não possível a um ser humano. Sonoko, porém, arrebatada pela vergonha e por um inocente contentamento, continuava olhando para baixo, feito uma boneca.

Eu mantinha o silêncio e, como se conduzisse uma enferma, peguei em seu braço e comecei a andar em direção às bicicletas.

Tinha de fugir. O mais rápido possível. Estava em pânico. Para não levantar suspeita com minha expressão sisuda, fingi estar mais alegre do que o habitual. Durante o jantar, porém, aquele meu aspecto feliz coincidiu tão perfeitamente com o flagrante distraimento de Sonoko que, no fim, o feitiço virou contra o feiticeiro.

Ela me parecia ainda mais viçosa. Desde que a conhecera, sua aparência me lembrava uma personagem de fábula. A expressão, os atos eram exatamente de uma donzela apaixonada, daquelas que aparecem nas fábulas. Ao ver aquele coração inocente e virginal exposto aos meus olhos, percebi com clareza que não era digno de abraçar tão bela alma, e, como eu já não falasse com a fluência de antes, sua mãe deixou escapar algumas palavras de preocupação em relação à minha saúde. Então, graciosa, Sonoko apressou-se a concluir que podia ler todos os meus pensamentos e, a fim de me animar, tornou a balançar o medalhão, sinalizando-me: "Não se preocupe". Sem querer, sorri.

Diante daquela troca audaciosa de sorrisos, os adultos perfilaram rostos meio chocados, meio incomodados. Ao imaginar o que aqueles rostos viam de nosso futuro, mais uma vez estarreci.

No dia seguinte, voltamos ao mesmo local junto ao campo de golfe. Notei um grupo de crisântemos silvestres amarelos que havíamos esmagado, lembrança do dia anterior. Agora a grama estava seca.

O hábito é uma coisa terrível. Dei-lhe outra vez o beijo que tanto me torturara depois. Mas dessa vez foi como um beijo que se dá na irmãzinha. Por isso mesmo, tinha um sabor ainda maior de imoralidade.

— Quando será que vou ver você de novo... — disse ela.

— Bem, se os americanos não desembarcarem no arsenal — respondi —, daqui a um mês mais ou menos consigo outra folga.

Eu esperava — ou, mais do que esperar, tinha uma convicção supersticiosa de que durante aquele mês o exército americano desembarcaria na baía S, de que, como um exército de estudantes, seríamos enviados para combatê-los até o último homem e de que todos, sem exceção, morreríamos em combate. Ou então de que uma gigantesca bomba, jamais imaginada, me mataria onde quer que estivesse... Estava eu prevendo o lançamento da bomba atômica?

Andamos em direção a uma ladeira onde batia o sol. Duas bétulas lançavam sua sombra sobre ela, como duas irmãs. Sonoko, que caminhava cabisbaixa, começou a falar:

— O que você me dará de presente da próxima vez que nos encontrarmos?

— Bem, que presente eu poderia lhe trazer em tempos como estes... — respondi em desespero, fingindo não entender. — Um avião defeituoso, uma pá enlameada, coisas assim...

— Não estou falando de coisas materiais.

— Hum, o que será então... — principiei, e quanto mais fingia não entender, mais era encostado contra a parede. — Essa é uma pergunta difícil. Vou pensar com calma, no trem.

— Sim, faça isso, por favor — ela disse num tom de inusitada dignidade e placidez. — Prometa, por favor, que me trará o presente.

Sonoko enfatizou a palavra "prometa", e eu nada pude fazer para me proteger senão prosseguir com meu falso bom humor.

— Bom, então vamos entrelaçar os dedinhos — respondi com exagero.

À primeira vista, parecia um gesto inocente, mas de súbito renasceu em mim o medo que sentia quando criança. Era o pavor de menino, provocado pela crendice de que o dedo apodreceria se a promessa não fosse cumprida. O presente ao qual Sonoko se referia, mesmo que não o dissesse com clareza, só podia ser um "pedido de casamento", e por isso meu medo não era infundado. Meu temor era como aquele que invade a criança que, com medo do escuro, não consegue ir sozinha ao banheiro à noite.

Naquela noite, quando ia me deitar, Sonoko veio até o meu quarto e, enrolando metade de seu corpo na cortina que pendia à porta, pediu-me amuada que ficasse mais um dia. De meu leito, eu apenas a fitei como se espantado. Meu cálculo inicial, que eu considerara acurado, desmoronara por completo devido ao erro cometido logo de saída. Agora, eu observava Sonoko sem saber como julgar meus sentimentos.

— Você precisa mesmo voltar?

— É, preciso.

Respondi até com certa alegria. Mais uma vez, a máquina da farsa se punha em movimento dentro de mim, começando pela superficialidade. Apesar de minha alegria não passar de uma manobra para fugir do medo, ela acabou por adquirir outro sentido: proporcionava-me certa sensação de superioridade, um novo poder capaz de irritar Sonoko.

O autoengano era agora minha última esperança. Um ferido não exige que o curativo improvisado esteja necessariamente limpo. Pretendia ao menos estancar o sangramento iludindo a mim mesmo, um recurso ao qual já estava habituado; depois, correria para o hospital. Disse a Sonoko que o improdutivo arsenal era o mais severo dos quartéis e que, se não voltasse para lá na manhã seguinte, me mandariam para uma prisão militar.

Na manhã da minha partida, eu olhava fixo para Sonoko, como um viajante a contemplar a paisagem que está prestes a deixar para trás.

Sabia que estava tudo acabado. Apesar de as pessoas à minha volta acharem que tudo estava apenas começando. E ainda que eu próprio preferisse iludir-me e me render à atmosfera de gentil e cuidadosa vigilância daqueles ao meu redor.

Mesmo assim, a aparente tranquilidade de Sonoko inquietava-me. Estava me ajudando a fazer a mala, inspecionava cada canto do quarto para ver se eu não esquecera nada. Então, parou diante da janela e ficou olhando para fora, imóvel. Aquela era mais uma manhã nublada em que apenas o verde das folhas novas chamava a atenção. Sem que se pudesse vê-lo, um esquilo passou, balançando os galhos de uma árvore. Vista daquele ângulo, de costas, uma serena mas pueril expectativa transbordava de Sonoko. Deixá-la sair do quarto com aquela expressão seria como não fechar as portas do armário, e eu, metódico por natureza, não toleraria isso. Aproximei-me e abracei-a suavemente por trás.

— Você volta sem falta, não é?

Seu tom era tranquilo e confiante. Mais do que confiança em mim, porém, aquilo me soou como se a confiança de Sonoko se arraigasse em algo mais profundo, algo que transcendia a mim. Seus ombros não tremiam. A renda no seu peito ofegava como se com orgulho.

— Hum, talvez. Se ainda estiver vivo...

Senti nojo de mim mesmo, do eu que dizia aquelas palavras. Teria preferido dizer, como qualquer rapaz da minha idade:

"É claro que eu volto! Virei ao seu encontro nem que tenha de vencer as mais diversas dificuldades. Espere tranquila. Afinal, você será minha futura esposa, não é mesmo?".

Essa bizarra contradição sempre dava o ar da graça, apartando meu modo de sentir as coisas do meu modo de pensar. O que me fazia responder com aquele insosso "hum, talvez" não era uma falha de caráter, mas obra de algo anterior a mim, anterior a qualquer intervenção de minha parte. Ou seja, eu sabia muito bem que *não era minha culpa*.

Quanto à porção de responsabilidade que, embora pequena, era de fato *minha*, eu em geral a confrontava com admoestações tão salutares e sensatas que chegavam a ser cômicas. Em decorrência da autodisciplina desenvolvida desde a infância, eu preferia morrer a me tornar um homem tíbio, sem características másculas, alguém que não sabe ao certo de suas preferências e aversões, que deseja apenas ser amado, mas não sabe amar. Tal exortação, é claro, podia aplicar-se à porção de meu caráter pela qual cabia a mim a responsabilidade, mas no que diz respeito ao restante, ao que não era minha culpa, tratava-se de uma exigência impossível de satisfazer, desde o princípio. Assim sendo, no presente caso, nem a força de Sansão seria suficiente para que eu tomasse uma atitude máscula e definida em relação a Sonoko.

Por isso, o que aos olhos dela parecia ser minha personalidade, o que ela enxergava naquele momento, a imagem de um homem indeciso, causava-me aversão, fazia com que eu sentisse que minha existência não possuía valor algum, destruindo minha autoestima. Eu não acreditava em meus intentos ou em meu caráter; ao menos no que dizia respeito a meus intentos, eu só podia concebê-los como uma farsa. Por outro lado, esse modo de pensar que confere todo o peso à vontade era também, de certa forma, um exagero que beirava a fantasia. Mesmo àquela pessoa considerada normal é impossível agir apenas segundo suas intenções. Ainda que eu fosse um ser humano normal, decerto nem todas as condições seriam satisfeitas para que eu e Sonoko pudéssemos levar uma vida feliz de casados. Quem sabe também essa pessoa normal respondesse: "Hum, talvez". Mas eu adquirira o hábito de fechar os olhos até às hipóteses mais óbvias, como se não quisesse perder uma única oportunidade de atormentar a mim mesmo... É um velho truque, muito utilizado por aqueles que, não tendo mais para onde fugir, embrenham-se no porto seguro de se acharem infelizes...

Sonoko voltou a falar em tom calmo:

— Não se preocupe. Você não vai sofrer nem um arranhãozinho. Olha, eu rezo todas as noites para Nosso Senhor Jesus Cristo. E até agora minhas preces têm surtido efeito.

— Você é muito devota, não é mesmo? Talvez por isso pareça tão segura de si. A ponto de me amedrontar.

— Por quê?

Ela ergueu os olhos negros, perspicazes. Diante daquele olhar inquisitivo, imaculado, tão isento de dúvidas quanto o orvalho, fiquei sem ação, perdi a fala. Eu sempre tivera um forte impulso de querer acordá-la, chacoalhá-la de seu sono tranquilo, mas, em vez disso, foram os olhos de Sonoko que me sacudiram, despertando algo adormecido dentro de mim...

Suas irmãs tinham de ir para a escola e vieram se despedir:

— Adeus.

A menor, procurando por minha mão, mal roçou sua palma na minha e saiu correndo porta afora, de onde, sob o sol fraco que incidia sobre as árvores naquele momento, acenou com a lancheira vermelha de fivela dourada, levantando-a acima da cabeça.

A avó e a mãe de Sonoko também me acompanharam até a

estação, o que fez com que nossa despedida acabasse se tornando algo corriqueiro e inocente. Fazíamos brincadeiras um com o outro, agíamos como se nada tivesse acontecido entre nós. O trem logo chegou, e eu me acomodei num assento junto da janela. A única coisa que desejava era que partisse depressa.

Uma voz alegre chamou-me de uma direção inesperada. Sem dúvida, era Sonoko. Sua voz, que até poucos instantes soava tão familiar, tornou-se um chamado distante, carregado de frescor, surpreendendo meus ouvidos. A percepção de que aquela era sua voz invadiu-me como os raios do sol da manhã. Voltei os olhos em sua direção. Sonoko atravessara o portão de embarque e apoiava-se na cerca de madeira que bordejava a plataforma. De seu bolero xadrez transbordava uma profusão de rendas que esvoaçavam ao vento. Seus olhos se abriam com vivacidade para mim. O comboio começava a se mover. Seus lábios algo pesados pareciam encerrar palavras, e foi exatamente assim que deixaram meu campo de visão.

Sonoko! Sonoko! A cada solavanco do trem seu nome ecoava dentro de mim. Soava-me de um mistério indescritível. Sonoko! Sonoko! Toda vez que eu o repetia, sentia um peso no coração. A cada vez, a lâmina afiada do cansaço penetrava mais fundo em mim, como se me castigasse. A natureza daquele meu sofrimento era transparente, mas tão singular e sem precedentes que, ainda que tentasse explicar a mim mesmo, não compreenderia. Era um sentimento tão distante da órbita das emoções humanas que me era difícil até mesmo reconhecê-lo como tal. Se tivesse de fazer uma comparação, era como o sofrimento de uma pessoa que espera pelo som do disparo anunciando o meio--dia sob o sol radiante e, passado o horário, tenta descobrir em alguma parte do céu azul o silêncio do canhão que por fim não disparou. É uma expectativa terrível. Somente aquela pessoa neste mundo sabe que o disparo do meio-dia não soou prontamente ao meio-dia.

"Acabou, acabou", murmurei. Lamentava feito um estudante tímido que não conseguira passar no exame. Fracassei. Fracassei! E tudo porque não resolvi aquele X. Nada disso teria acontecido se tivesse resolvido aquele X, logo no início. Se ao menos tivesse empregado métodos dedutivos, como todo mundo, para resolver a matemática da vida... Meu grande erro foi ter sido impertinente. Falhei porque fui o único a me apoiar nos métodos indutivos.

Meu tormento era tão óbvio que as passageiras à minha frente olhavam-me com desconfiança. Uma delas era uma enfermeira da Cruz Vermelha vestindo seu uniforme azul-marinho; a outra parecia ser sua mãe, uma pobre camponesa. Ao perceber seus olhares, ergui os olhos na direção da enfermeira e vi uma moça gorda, vermelha como uma cereja, que, surpreendida por meu olhar, começou a reclamar com a mãe para esconder seu constrangimento:

— Mãe, estou com fome.

— Ainda é cedo.

— Mas eu estou com fome, o que posso fazer?

— Como você é impertinente!

Por fim, a mãe se deu por vencida e tirou o almoço da sacola. Era de uma pobreza ainda pior do que a comida que nos era servida no arsenal. A enfermeira comia com avidez uma mistura de arroz com batatas guarnecida com duas fatias de nabo em conserva. Esfreguei os olhos, porque até aquele momento o hábito de comer do ser humano nunca me parecera tão sem sentido. Mais tarde, cheguei à conclusão de que esse ponto de vista decorria da minha perda total da vontade de viver.

Naquela noite, acomodei-me na casa do subúrbio e, pela primeira vez na vida, pensei com seriedade no suicídio. Enquanto refletia, porém, um grande fastio foi tomando conta de mim, e mudei de ideia, concluindo que seria burlesco suicidar-me. Faltava-me o gosto inato pela derrota. Além disso, era inconcebível não inscrever meu nome numa das modalidades de morte que vicejavam à minha volta, como uma colheita farta de outono — a morte em decorrência dos ataques aéreos, a morte no cumprimento do dever, a morte na frente de batalha, a morte por atropelamento ou a morte por doença. Um criminoso condenado à morte não se suicida. Fosse qual fosse o ângulo pelo qual considerasse a questão, o momento não combinava com o suicídio. Esperava que algo fizesse o favor de me matar. O que, em outras palavras, era o mesmo que esperar que algo fizesse o favor de me manter vivo.

Retornei ao arsenal e, passados dois dias, recebi uma carta apaixonada de Sonoko. Era amor de verdade. Senti ciúme. Um ciúme insuportável, igual àquele que uma pérola cultivada deve sentir em relação à natural. Existirá neste mundo um homem que tem ciúme da mulher que o ama, e justamente por causa desse amor?

Depois de se despedir de mim, Sonoko montara em sua bicicleta e fora trabalhar. Estava tão distraída que os colegas lhe perguntaram se se sentia mal. Cometeu vários erros no arquivamento de documentos. Então, fora para casa almoçar e, no caminho da volta ao trabalho, desviara-se para o campo de golfe e parara ali sua bicicleta. Olhou em torno e viu os crisântemos silvestres pisoteados. À medida que a neblina se dissipava, pôde ver a tez do vulcão resplandecendo um marrom avermelhado e, depois, a neblina cinzenta tornar a se erguer por entre as montanhas e as folhas daquelas duas bétulas, que pareciam duas adoráveis irmãs, estremecerem como em sinal de uma frágil premonição...

E naquele exato momento, dentro do trem, eu quebrava a cabeça pensando em como fugiria do amor que eu próprio plantara em Sonoko!... Contudo, às vezes eu me tranquilizava cedendo a uma justificativa que, provavelmente, estava muito próxima da verdade: a de que, se a amasse, então, sim, teria de fugir dela.

Continuei escrevendo cartas frequentes a Sonoko, sempre num tom que, se não demonstrava nenhum avanço, tampouco revelava algum esfriamento. Em menos de um mês, uma segunda visita a Kusano foi autorizada, e ela me informou que toda a família viria vê-lo num regimento próximo a Tóquio, para onde ele fora transferido. A fraqueza arrastou-me até lá. Era espantoso como não conseguia deixar de vê-la, apesar de minha firme decisão de não mais o fazer.

Diante dela, porém, que permanecera do jeitinho que a deixara, descobri em mim um eu totalmente transformado. Não conseguia sequer brincar com Sonoko. Nessa minha transformação, ela, o irmão, a avó e até a mãe enxergaram apenas sinceridade de propósitos. As palavras que Kusano me dirigiu, com seu olhar sempre afável, fizeram-me estremecer:

— Em breve vou lhe enviar uma carta de conteúdo muito importante. Aguarde, está bem?

Uma semana depois, quando voltei à casa onde estavam minha mãe e meus irmãos, a carta havia chegado. Os traços inocentes, sem adornos, tão próprios de Kusano, demonstravam uma amizade sincera:

[...] *A respeito de Sonoko, todos em casa pensam com seriedade no que está acontecendo. Recebi carta branca para resolver o assunto. A questão é simples: gostaria de saber como se sente. Todos confiam em você. A confiança de Sonoko, então, dispensa comentários. Parece que minha mãe já está até pensando numa data para a cerimônia. Casamento à parte, imagino que não seja cedo demais para definir o dia do noivado. Tudo isso, porém, não passa de conjecturas nossas. Por isso, quero saber o que você pensa a respeito. As pessoas em casa gostariam de resolver tudo, inclusive os arranjos entre as famílias, assim que você responder. Mas isso não significa querer prendê-lo a nada. Ficarei mais tranquilo ao ouvir o que sente de verdade. Mesmo que a resposta seja 'não', de modo algum ficarei ressentido ou zangado, nem isso afetará nossa amizade. Se for um 'sim', claro que não caberei em mim de alegria, mas, ainda que a resposta seja negativa, jamais me sentirei magoado. Gostaria apenas de receber uma resposta franca, dada com liberdade. Só quero, sinceramente, uma resposta isenta de qualquer sentimento de obrigatoriedade decorrente, seja da nossa amizade, das conveniências sociais ou das circunstâncias. Eu a aguardarei como seu bom amigo [...]*

Fiquei pasmo. Olhei ao redor, para certificar-me de que ninguém me observara durante a leitura da carta.

Acontecera o que eu considerava inimaginável. Não incluíra em meus cálculos a eventual diferença entre mim e aquela família no que se referia ao modo de pensar e sentir a guerra. Eu tinha ainda vinte e um anos de idade, era estudante, trabalhava numa fábrica de aviões e, além disso, fora criado numa época de sucessivos conflitos. Possuía uma ideia demasiado romântica da força bélica. Mesmo em meio às catástrofes daquela guerra violenta, a agulha da bússola que direciona o homem continuava a apontar na mesma direção de sempre. E eu, que até pensara estar apaixonado, por que não percebera que a vida e as responsabilidades cotidianas seguiam em frente? Reli a carta com um sorriso inusitado e débil nos lábios.

Uma sensação ordinária de superioridade provocou uma comichão em meu peito. Sou um vencedor, disse a mim mesmo. *Exteriormente*, eu era feliz e ninguém via nenhuma falha naquela felicidade. Assim, também eu tinha o direito de menosprezar a felicidade.

Embora tomado de inquietação e dilacerante tristeza, fixei um sorriso insolente e irônico nos lábios. Para mim, bastava vencer um pequeno obstáculo. Bastava considerar todos aqueles meses recentes nada mais que um absurdo, acreditar que, desde o início, não estivera apaixonado pela tal Sonoko, por aquela menininha. Bastava julgar que a iludira levado por um desejo insignificante (mentiroso!). Assim, não haveria razão para não dizer não. Não poderia ser responsabilizado só por causa de um beijo!

"Não amo Sonoko coisa nenhuma!" Essa conclusão deixou-me extasiado.

Era algo formidável. Tornara-me um homem inescrupuloso, capaz de seduzir uma mulher sem amá-la, e de a abandonar tão logo a paixão começava a incendiá-la. Estava longe de ser aquele estudante exemplar, correto, virtuoso... Ainda assim, não havia como ignorar que nenhum libertino abandona uma mulher sem ter alcançado seu *objetivo*... Ignorei aquele pensamento. Como uma velha teimosa, adquirira o hábito de tapar os ouvidos àquilo que não queria ouvir.

Restava-me apenas arquitetar um plano para evitar o casamento, como um amante que deseja impedir a união de sua amada com um concorrente.

Abri a janela e chamei minha mãe.

A luz intensa de verão iluminava a horta. Pés de tomate e berinjela erguiam com rebeldia seu verde ressecado em direção ao sol, que, por sua vez, tingia os veios das folhas com raios escaldantes. Até onde a vista alcançava, a sombria fartura da vida das plantas era esmagada pelo brilho que banhava a horta. Mais além, uma floresta ao redor de um santuário xintoísta voltava o semblante lúgubre em minha direção. E, ainda mais adiante, pela planície que não se enxergava, passava o trem suburbano, chacoalhando-a com um leve tremor de tempos em tempos. Passado o trem, via-se o brilho dos cabos elétricos balançando preguiçosos à leve sacudidela nos fios. Contra o fundo de densas nuvens de verão, balançavam sem propósito, ora parecendo querer dizer algo, ora sem sentido nenhum.

Bem do meio da horta ergueu-se um grande chapéu de palha com uma fita azul. Era minha mãe. O chapéu de seu irmão mais velho — meu tio — nem se virou: permaneceu imóvel como um girassol cabisbaixo.

Desde que passara a viver ali, sentia-se mais à vontade e, algo bronzeada pelo sol, seus dentes brancos sobressaíam ao longe. Aproximou-se o suficiente para que pudesse ouvi-la e gritou, com voz infantil e estridente:

— O que foi? Se tem algo a me dizer, venha até aqui.

— É importante. Venha aqui um pouquinho.

Minha mãe veio chegando bem devagar, como se protestasse. O cesto em suas mãos estava repleto de tomates maduros. Ela o colocou no peitoril da janela e perguntou o que eu queria.

Não lhe mostrei a carta. Fiz-lhe um resumo do conteúdo. Enquanto falava, ja não sabia bem por que a chamara. Talvez só estivesse tagarelando a fim de convencer a mim mesmo. Disse-lhe que meu pai era uma pessoa nervosa e meticulosa e que, por isso, a mulher que viesse a ser minha esposa com certeza sofreria se morássemos todos sob o mesmo teto, o que, no entanto, não era razão suficiente para se procurar outra casa numa época como aquela. Ademais, os estilos das duas famílias não combinariam — a minha era antiquada, e a dela, alegre, aberta —, e, quanto a mim, não queria me comprometer tão cedo e sofrer... Apresentei diversas circunstâncias desfavoráveis de pouca originalidade, sem alterar o semblante. Queria que ela se opusesse com teimosia ao casamento. Minha mãe, porém, era de uma personalidade serena e tolerante.

— Que conversa mais estranha — opinou, como se o assunto não merecesse reflexão mais profunda. — Mas, afinal, o que você sente? Gosta dela ou não?

— É claro que sim, mas, bom... — gaguejei. — Não estava levando as coisas tão a sério. Era meio na brincadeira. Só que ela pensou que era para valer, e agora estou em maus lençóis.

— Se é esse o caso, então não há com que se preocupar, certo? Quanto mais cedo deixar as coisas claras, melhor será para os dois. De qualquer forma, é só uma carta para sondar seus sentimentos, não é? Basta responder com franqueza... Estou voltando para lá, está bem? Já resolveu seu problema, não é mesmo?

— Hum — dei um leve suspiro.

Ela foi até o postigo onde se erguiam os pés de milho, estendendo seus ramos como se quisessem obstruir a passagem, e logo voltou para minha janela a passos curtos e ligeiros. Sua fisionomia estava um pouco alterada.

— Escute, essa conversa que acabamos de ter... — fitava-me como a um estranho, ou seja, com aquele olhar que as mulheres lançam para homens desconhecidos. — A respeito de Sonoko, você, por acaso... já...

— Não seja tola, mãe! — comecei a rir. Jamais rira com tanta amargura em toda a minha vida. — A senhora acha que eu faria uma besteira dessas? Confia tão pouco assim em mim?

— Já entendi. Só queria ter certeza — retrucou ela, embaraçada, reassumindo a expressão alegre no rosto. — Mães são assim mesmo: vivem se preocupando com essas coisas. Não se preocupe. Confio em você.

Naquela noite, escrevi uma carta repleta de circunlóquios; no fim, eu mesmo a achei artificial. Expus que minha decisão pelo não era algo repentino e que, naquele momento, não me sentia capaz de ir tão longe em meus sentimentos. Na manhã seguinte, quando fui ao correio despachá-la, já no caminho de volta para o arsenal, a mulher do guichê expresso olhou desconfiada para minhas mãos trêmulas. Observei-a carimbando mecanicamente minha carta com suas mãos rudes e sujas. Consolou--me ver meu infortúnio tratado de modo prático e impessoal.

Os ataques aéreos transferiram-se para cidades de médio e pequeno portes. Temporariamente, ao que parecia, não se corria mais perigo de vida. Opiniões favoráveis à rendição estavam em voga entre os estudantes. Um jovem professor-assistente começou a expressar opiniões favoráveis à paz, na tentativa de obter popularidade entre os alunos. Vendo seu nariz pequeno inflar-se enquanto ele expunha pontos de vista um tanto céticos, pensei comigo: "Você não me engana". Por outro lado, também olhava torto para os fanáticos que, àquela altura, ainda acreditavam na vitória. Para mim, ganhar ou perder a guerra não fazia a menor diferença. Queria apenas *renascer*.

Uma febre alta, de causa desconhecida, me fez voltar à casa no subúrbio. Repetia sem cessar o nome de Sonoko dentro de mim, como um sutra, enquanto o teto girava febrilmente diante dos meus olhos. Quando enfim consegui me pôr de pé, soube da destruição total de Hiroshima.

Era a última oportunidade. Corria um boato de que Tóquio seria a próxima. Eu percorria as ruas trajando camisa e calças curtas brancas. No limite do desespero, as pessoas caminhavam com fisionomia alegre. Os minutos se sucediam e nada acontecia. Em todo lugar havia uma expectativa animada, como alguém que continua a encher um balão já cheio e se pergunta: "Será que é agora que vai estourar? Será que é agora?". E, enquanto isso, os minutos se sucediam e nada acontecia. Se aquela situação se prolongasse por mais de dez dias, enlouquecer seria a única coisa a fazer.

Certo dia, aviões apareceram costurando com elegância o céu azul de verão por entre os disparos inúteis dos canhões antiaéreos, e choveram folhetos de propaganda. Eram notícias sobre as propostas de rendição. No final da tarde daquele mesmo dia, de volta do trabalho, meu pai foi direto àquele nosso lar temporário no subúrbio.

— Ouçam, aquele folheto diz a verdade.

Ele entrou pelo jardim e, tão logo se sentou na varanda, começou a falar. Mostrou-me uma cópia do original em inglês, que obtivera de fonte segura.

Peguei-a nas mãos e, antes mesmo de passar os olhos nela, compreendi a realidade. Não era a realidade da derrota. Para mim, e somente para mim, era o começo de dias assustadores. Quisesse eu ou não, e a despeito de tudo quanto fizera para crer que este dia não chegaria jamais, a realidade de uma "vida cotidiana" de ser humano começaria para mim no dia seguinte. Eu tremia só de pensar.

4.

Para minha surpresa, aquela temível vida cotidiana custava a dar indícios de que começaria. O país passava por uma espécie de guerra civil, e as pessoas pareciam pensar ainda menos no "amanhã" do que durante a guerra recém-terminada.

Como o veterano que me emprestara o uniforme da universidade voltara do exército, devolvi-lhe a roupa. Então, por um tempo, tive a ilusão de ter me libertado das lembranças ou do passado.

Minha irmã morreu. Senti um alívio frívolo ao saber que também eu sou um ser humano capaz de verter lágrimas. Sonoko foi apresentada a um certo homem e ficou noiva. Casou-se logo depois da morte de minha irmã. Digamos que me senti como se tivessem tirado um fardo de meus ombros. Convenci-me de que estava eufórico. Gabava-me porque, afinal, não fora ela que me abandonara, e sim eu que renunciara a ela.

Meu mau hábito de longa data de, forçando uma relação entre os fatos, concluir que era uma vitória de minhas próprias vontade e inteligência aquilo que, na realidade, me fora imposto pelo destino atingia agora uma espécie de arrogância ensandecida. Era como se na natureza do que chamo inteligência houvesse algo de um tirano impostor, ilegítimo, entronado por alguma coincidência absurda. Esse usurpador tolo nem sequer previa o que a inevitável vingança poderia acarretar a seu despotismo estúpido.

Passei o ano seguinte tomado de um vago otimismo. Os estudos de direito transcorriam de forma rotineira: eu ia mecanicamente para a universidade e voltava para casa do mesmo modo... Não dava atenção a nada, e nada me dava atenção. Aprendera a sorrir como um homem sabedor das coisas do mundo, como um jovem padre sorri. Sentia-me como se não estivesse nem vivo nem morto. Aquela minha esperança de um suicídio espontâneo e natural — a morte pela guerra — parecia ter sido extirpada e esquecida.

O verdadeiro sofrimento só vem aos poucos. É como a tuberculose: quando os sintomas começam a se manifestar, é porque a doença já alcançou estágio crítico.

Certo dia, parei diante das estantes de uma livraria — aos poucos, novas publicações começavam a aparecer — e apanhei um livro traduzido de encadernação grosseira. Tratava-se dos extensos ensaios de um escritor francês. Abri numa página qualquer, e uma linha ficou gravada em meus olhos. Mas um desagradável desconforto compeliu-me a fechar o livro e colocá-lo de volta na estante.

Na manhã seguinte, no caminho para a universidade, tive o súbito impulso de entrar na livraria, que ficava próxima ao portão principal, e comprar o tal livro. Durante a aula sobre código Civil, coloquei-o discretamente ao lado do caderno aberto e procurei por aquela linha. Provocou-me um desconforto ainda mais acentuado do que o do dia anterior:

*A força de uma mulher só pode ser medida pelo grau de infe-
licidade com que consegue punir seu amante.*

Na universidade, havia um amigo de quem me tornara mais
próximo. Era o filho dos donos de uma antiga casa de doces. À
primeira vista, parecia ser um estudante aplicado, sem graça,
mas seu modo desdenhoso de ver as pessoas, a vida, sua frágil
constituição física quase idêntica à minha cativaram minha simpatia. Assumíamos uma mesma atitude, ao estilo dos filósofos
cínicos, mas, no meu caso, ela provinha de uma necessidade de
autodefesa, de iludir, ao passo que ele parecia agir daquela forma
em decorrência de uma firme autoconfiança. Fiquei pensando
de onde vinha aquela confiança. Depois de um tempo, ele per-
cebeu que eu era virgem e, como se avançasse sobre mim com
ar de superioridade e escárnio, confessou que frequentava bor-
déis. E convidou-me:

— Me telefone se tiver vontade de ir. Vou com você a hora
que quiser.

— Está bem. Se eu ficar com vontade... Talvez... Logo, logo eu aviso você — respondi.

Ele demonstrava a um só tempo um orgulho inflado e certo
embaraço. Parecia capaz de ler meu estado de espírito naquele
momento: seu semblante deixava transparecer a lembrança da
vergonha que ele próprio sentira no passado, quando confrontado com a mesma situação que eu experimentava agora. Exaspe-
rei-me. Era a velha irritação provocada pelo desejo de fazer do
meu estado de espírito real aquele que outros me atribuíam.

A pudicícia é uma forma de egoísmo, um mecanismo de
proteção cuja necessidade é ditada pela força dos próprios desejos. Mas meu desejo real era secreto o bastante para não admitir sequer esse capricho. Ao mesmo tempo, meu desejo imaginário — ou seja, a curiosidade ingênua e abstrata em relação

às mulheres — concedia-me uma liberdade tão gélida que tampouco aí havia espaço para egoísmos. Não há virtude na curiosidade. Na verdade, talvez ela seja o mais imoral dos desejos humanos.

Iniciei um patético e secreto exercício. Testava meu desejo contemplando fixamente fotos de mulheres nuas... Como já sabia, não obtive qualquer reação. Quanto ao meu conhecido mau hábito, tentei disciplinar-me: a princípio, evitando os devaneios de sempre; depois, imaginando mulheres nas poses mais obscenas. De vez em quando, aquilo parecia funcionar. Mas nesse êxito aparente havia um vazio que parecia reduzir meu coração a pó.

Era oito ou oitenta — decidi-me. Telefonei ao meu amigo e pedi que me esperasse em determinado café, no domingo, às cinco da tarde. Estávamos em meados de janeiro, no segundo ano após o término da guerra.

— Finalmente tomou uma decisão, hein? — ele gargalhava ao telefone. — Está bem, eu vou. Estarei lá sem falta. Não vou perdoar se você não aparecer...

Aquela gargalhada permaneceu em meus ouvidos. Sabia que a única coisa que possuía para revidar a ela era um sorriso retorcido, imperceptível aos olhos dos outros. Ainda assim, tinha um raio de esperança, ou melhor, de superstição. E era uma crendice perigosa. Somente a vaidade nos faz correr riscos. No meu caso, era a trivial vaidade de não querer ser visto como virgem aos vinte e três anos de idade.

Pensando bem, foi no dia do meu aniversário que tomei aquela decisão...

Olhamo-nos como se sondássemos um ao outro. Naquele dia, meu amigo sabia que tanto um semblante sério quanto uma gargalhada seriam igualmente absurdos; de seus lábios saíam apenas seguidas baforadas do cigarro. Na falta do que dizer, expôs sua opinião, articulando duas ou três palavras a respeito da má qualidade dos doces do tal estabelecimento. Eu não o ouvia. Disse-lhe:

— Você também deve estar preparado para isto, não é mesmo? Fico me perguntando se o sujeito que leva alguém pela primeira vez a um lugar destes torna-se seu amigo ou inimigo para a vida inteira.

— Não me assuste. Como você vê, eu sou tímido. Não levo jeito para o papel de inimigo vitalício.

— Pelo menos você se conhece, fico admirado — respondi, com deliberada prepotência.

— Claro, bem... — disse ele, assumindo um ar de mestre de cerimônias. — Vamos a algum lugar, beber alguma coisa. Acho que é demais para um iniciante ir sóbrio.

— Não, eu não quero beber — senti minhas faces gelarem. — Vou sem tomar um único gole. Coragem para isso eu tenho.

O sombrio trem metropolitano, a escuridão da linha férrea, uma estação na qual nunca estivera, a rua desconhecida, um canto de miseráveis barracos enfileirados, lâmpadas roxas e vermelhas faziam os rostos das mulheres parecerem inchados. Clientes se cruzavam em silêncio na rua encharcada pela geada derretida, produzindo sons como se andassem descalços. Eu não sentia desejo nenhum. Apenas uma inquietação alvoroçava-me, como uma criança ávida pela hora da merenda.

— Qualquer lugar serve. Qualquer lugar serve, já disse.

Queria fugir daquelas falsas vozes ofegantes das mulheres, chamando: "Psiu, venha cá, meu bem...".

— As garotas desta casa aqui são perigosas. Que tal aquela ali? É bonita. E aquela casa é segura, comparada a outros lugares.

— A cara não importa.

— Então vou ficar com a mais *schön*, a mais bonita é minha. Depois, não vá ficar ressentido comigo, hein?

Ao nos aproximarmos, duas mulheres levantaram-se como se possuídas. A casa era tão pequena que, em pé, nossas cabeças quase batiam no teto. Com um sorriso que escancarava os dentes de ouro e a gengiva, a mulher alta de sotaque interiorano sequestrou-me para um quartinho do tamanho de três tatames.

Um senso de dever me fez abraçá-la. Segurei-a pelos ombros e estava prestes a beijá-la, quando começou a rir, sacudindo os ombros pesados.

— Não faça iiisso! Você vai ficar manchado de batom. É assim que se faz.

A prostituta abriu sua enorme boca de dentes de ouro, emoldurada pelo batom, e estendeu a língua robusta, que mais parecia um bastão. Imitei-a, estirando minha língua também. As pontas se tocaram...

Talvez ninguém entenda se eu disser que a insensibilidade assemelha-se a uma intensa dor. Senti meu corpo dormente tomado por essa dor violenta, que, no entanto, não podia ser sentida. Deixei a cabeça cair no travesseiro.

Passados dez minutos, minha incapacidade se confirmou. A vergonha fazia meus joelhos tremerem.

Supondo que meu amigo não tivesse percebido nada, depois de alguns dias entreguei-me àquela sensação de desleixo típica da convalescença. Era algo parecido ao alívio temporário que uma pessoa, apreensiva diante de uma doença incurável, experimenta ao saber ao menos o nome da enfermidade. Ela sabe muito bem, no entanto, que esse alívio não é senão momentâneo. Além disso, seu coração antevê desespero ainda mais inescapável, que, por sua própria natureza, resultará em sentimento de alívio mais duradouro. Era provável que também eu esperasse por um golpe impossível de evitar, ou, em outras palavras, por um sentimento de alívio ainda mais inescapável.

Durante o mês que se seguiu, deparei várias vezes com meu amigo na faculdade. Nenhum de nós tocou no assunto. Um mês depois, ele veio me visitar, trazendo consigo um amigo comum, mulherengo. Era um rapaz muito vaidoso, sempre se gabando de que era capaz de conquistar uma mulher em quinze minutos. Logo a conversa chegou onde havia de chegar.

— Eu já não aguento mais. Não consigo me controlar — disse o mulherengo, olhando fixo para mim. — Se tivesse algum amigo impotente, que inveja teria dele! Ou melhor, inveja, não: respeito!

Percebendo que minha feição se alterara, o outro amigo mudou de assunto, dirigindo-se ao mulherengo:

— Você prometeu me emprestar um livro de Marcel Proust, lembra? Então, é interessante?

— É interessante, sim. Proust era um sodomita. Tinha relações com criados.

— O que é isso, um sodomita? — perguntei.

Dei-me conta de que me debatia com todas as forças, tentando encontrar alguma evidência de que eles não tinham percebido minha desgraça. Agarrei-me àquela insignificante pergunta.

— Um sodomita é um sodomita, oras. Você não sabe? Em japonês é *danshokuka*.

— É a primeira vez que ouço isso a respeito de Proust — disse, sentindo a voz tremular.

Se demonstrasse indignação, estaria lhes oferecendo prova concreta. Sentia vergonha da minha capacidade de manter aquela aparente serenidade. Era evidente que meu amigo desconfiava de alguma coisa. Pareceu-me que fazia de tudo para não me encarar.

Depois que os malditos visitantes foram embora, às onze horas, enfiei-me no quarto e passei a noite em claro. Chorei tanto que soluçava. No fim, como sempre, foram as visões cheirando a sangue que vieram consolar-me. Rendi-me a elas, as atrozes, desumanas, as mais familiares e íntimas visões.

Precisava de consolo. Passei a ir com frequência às reuniões na casa de um velho amigo, mesmo sabendo que só deixariam em mim resquícios de conversas frívolas e um gosto de vazio. Ao contrário do que acontecia nos encontros com colegas universitários, sentia-me à vontade naquelas reuniões, frequentadas por pessoas da alta roda. Viam-se ali senhoritas afetadas, exibindo ares de superioridade, uma soprano, uma pianista em início de carreira, jovens esposas recém-casadas. Dançávamos, bebíamos um pouco e fazíamos algumas brincadeiras ridículas, o que incluía uma espécie de cabra-cega algo erótica. Às vezes, ficávamos até o amanhecer.

Quando o dia começava a clarear, era frequente que adormecêssemos no meio de uma dança. Para espantar o sono, espalhávamos almofadas pelo chão e dançávamos ao redor delas, até que, de repente, a vitrola parava de tocar; a esse sinal, desfazíamos a roda de dança e nos sentávamos aos pares — quem sobrasse, levava um castigo. Era uma grande farra, porque nos enredávamos todos nas almofadas dispostas no chão. À medida que íamos repetindo a brincadeira, as mulheres nem mais se importavam com a aparência.

Lembro-me de, certa vez, a mais bela das moças rir muito e, talvez por estar levemente embriagada, nem notar que sua saia subira até acima das coxas no momento em que ela espatifou o traseiro no chão. As coxas brancas cintilavam. Algum tempo antes, eu teria desviado o olhar de imediato, imitando o hábito dos outros rapazes de virar a cara ao próprio desejo, bastando para tanto que fizesse uso de meu talento na representação de um papel que não esquecia por um momento sequer. Mas desde aquele certo dia eu já não era o mesmo. Sem a menor vergonha — isto é, sem a menor vergonha de não possuir pudor inato —, pus-me a olhar fixo para aquelas coxas alvas, como se contemplasse um pedaço de matéria inerte. Então, de repente, fui invadido por aquela dor espasmódica que resulta de se olhar fixa e longamente para um objeto. E a dor anunciou-me: "Você não é um ser humano. É incapaz do convívio social. É uma criatura inumana, com algo de estranho e patético".

Os preparativos para o exame de ingresso no serviço público chegaram em boa hora, e como, na medida do possível, tinha de me dedicar ao máximo a insípidos estudos, afastei-me de forma natural, mente e corpo, das questões que me atormentavam. Mas mesmo essa distração só funcionou por pouco tempo.

À medida que a sensação de impotência, que se manifestara desde aquela noite com meu amigo, infestava todos os cantos e recantos de minha vida, entrei em depressão, e dias de total desânimo se seguiram. A necessidade de provar a mim mesmo que era de alguma forma capaz tornava-se cada vez mais premente. Sentia que não conseguiria mais viver se não obtivesse semelhante comprovação. Ainda assim, não encontrava um meio de realizar minha imoralidade inata. Não havia oportunidade de satisfazer meu desejo anormal, mesmo em sua forma mais branda.

Chegou a primavera e, por trás de minha aparente tranquilidade, depositava-se uma irritação ensandecida. Era como se a própria estação, com seus ventos fortes e carregados de poeira, tivesse algo contra mim. Se algum carro passasse raspando por mim, em meu interior eu o repreendia, gritando: "Por que não me atropela de uma vez?".

Impus a mim mesmo estudos exaustivos e um estilo de vida espartano. Nas poucas ocasiões em que saía à rua para uma breve caminhada, percebia com frequência olhos desconfiados fixando-se nos meus olhos vermelhos. Mesmo que alguém pensasse que eu acumulava dias e dias de estudo assíduo, na verdade apenas experimentava uma vida de negligência, de devassidão, que não queria saber do amanhã, apenas uma preguiça fétida e uma fadiga que parecia me carcomer. Então, numa tarde já de final de primavera, estava no trem metropolitano quando, de súbito, senti meu coração bater com uma força de tirar-me o fôlego.

Entre os passageiros em pé, vi Sonoko sentada no banco defronte ao meu. Sob as sobrancelhas pueris, olhos sinceros, modestos, donos de uma profunda doçura, difícil de expressar em palavras. Estava prestes a me levantar quando um passageiro largou a alça em que se segurava e dirigiu-se para a porta, permitindo-me enxergar o rosto da garota por inteiro. Não era Sonoko.

Meu coração ainda estava em alvoroço. Seria fácil explicar que aquela palpitação decorrera apenas da surpresa ou do sentimento de culpa, mas essa explicação não dava conta da pureza da emoção momentânea. Lembrei-me de imediato da emoção de quando avistara Sonoko na plataforma, na manhã do dia 9 de março. As duas emoções eram idênticas, não diferiam em nada. Assemelhavam-se até na tristeza que parecia atravessar-me o coração.

Esse pequeno episódio tornou-se algo difícil de esquecer, perturbando-me com intensidade nos dias que se seguiram. Não podia ser, não era possível que ainda amasse Sonoko: com certeza eu era incapaz de amar uma mulher. Essas certezas, porém, agora ofereciam resistência. Elas, que poucos dias atrás me eram tão leais e obedientes.

Assim, minhas lembranças de súbito recuperaram seu poder sobre mim, num *coup d'état* que tomou a forma de uma dor agoniante. A "pequena" lembrança, que eu afastara havia dois anos, ressuscitava agora gigantesca, desfilando por meus olhos como um filho bastardo que, crescido, reaparecia. Já não tinha as cores da "doçura" que eu forjara de início, nem a praticidade de que, posteriormente, eu me valera para dispor dela: um sofrimento evidente atravessava-a de cabo a rabo. Fosse remorso o que me atormentava, eu poderia ter encontrado meios de suportá-lo, seguindo o caminho aberto por inumeráveis predecessores. Minha dor, porém, não era sequer arrependimento, mas uma dor agoniante, estranhamente bem definida, como se me forçassem a contemplar da janela os penetrantes raios do sol de verão dividindo a rua entre brilho ofuscante e sombra.

Numa tarde nublada durante a estação de chuvas, quando eu passeava pelas ruas de Azabu, um bairro ao qual não costumava ir, mas no qual tinha assuntos a tratar, alguém atrás de mim me chamou. Era Sonoko. Ao virar-me e descobrir que era ela, não me surpreendi como da vez em que a confundira com outra mulher. Aquele encontro casual era algo tão natural para mim que eu parecia o estar prevendo. Senti-me como se já soubesse tudo a seu respeito, desde muito tempo.

Sonoko usava um vestido com estampas de flores parecidas com os de um elegante papel de parede, e não exibia outro adorno que não a renda em torno da gola em V; nada indicava que fosse agora uma mulher casada. Era provável que estivesse retornando da distribuição racionada de alimentos, pois carregava um balde e vinha acompanhada de uma velha senhora que também segurava um balde. Disse à mulher que seguisse adiante, para casa, e pôs-se a caminhar ao meu lado, conversando.

— Você emagreceu um pouco, não é mesmo?

— É, graças aos estudos para o concurso.

— É mesmo? Tome cuidado com a saúde, sim?

Ficamos calados por um momento. Um sol débil começou a banhar a rua tranquila do bairro residencial, que escapara do bombardeio. Um pato todo molhado escapou pela porta da cozinha de uma casa, avançando desajeitado e grasnando ao longo do meio-fio à nossa frente. Senti-me feliz.

— Que livro você está lendo agora? — perguntei.

— Romances? *Há quem prefira urtigas*, de Tanizaki, e...

— Não vai ler — —? — citei o título de um romance em voga.

— Aquele da mulher nua? — perguntou.

— Como? — retruquei, surpreso.

— É repugnante aquele desenho da capa...

Dois anos antes, ela teria sido incapaz de dizer coisas como "mulher nua" olhando alguém de frente. Palavras banais como aquelas evidenciavam de maneira dolorosa que Sonoko já não era aquela menina pura que eu conhecera. Quando chegamos à esquina, ela se deteve.

— Virando aqui, minha casa fica no final da rua.

Como a separação me era penosa, baixei a cabeça e desviei o olhar para o balde. Dentro dele, o sol iluminava uma grande quantidade de *konnyaku*, uma massa gelatinosa que mais parecia a pele de uma mulher bronzeada pelo calor da praia.

— *Konnyaku* estraga, se você deixa no sol por muito tempo.

— É verdade, é uma responsabilidade e tanto — disse ela, num tom alto e brincalhão.

— Bem, adeus.

— Passe bem — Sonoko deu-me as costas.

Ainda a detive para perguntar se costumava visitar a família. Respondeu-me com espontaneidade que, no sábado seguinte, iria até lá.

Depois que ela se foi, dei-me conta de algo muito importante que não percebera até então. Aquela Sonoko parecia ter me perdoado. Por que me perdoara? Haveria insulto maior do que aquela magnanimidade? Talvez, pensei comigo, mais um único e claro insulto da parte dela pudesse curar minha dor.

O sábado parecia demorar a chegar. Em boa hora, Kusano voltara para casa de Kyoto, onde agora frequentava a universidade.

Sábado à tarde fui visitá-lo e, enquanto conversava com ele, duvidei de meus próprios ouvidos. Ouvia o som de um piano. Seu timbre já não era imaturo, mas rico, ressoava com desenvoltura, era pleno, brilhante.

— Quem é?

— É Sonoko. Veio nos visitar hoje — respondeu Kusano, que de nada sabia.

Dolorosas, as velhas lembranças foram voltando, uma a uma.

Depois daquela minha carta cheia de rodeios, a bondade de Kusano em jamais tocar no assunto, nunca dizer uma única palavra, era um peso para mim. Eu queria uma prova de que Sonoko sofrera ao menos um pouco; queria reconhecer nela algo que correspondesse à minha infelicidade. Mas o "tempo", mais uma vez, espraiara-se viçoso como erva daninha entre mim, Kusano e

Sonoko, impedindo-nos de ter uma conversa franca, livre do orgulho, da vaidade e da prudência.

O piano parou de soar. Kusano teve a sensibilidade de me perguntar se deveria convidá-la a juntar-se a nós. Logo Sonoko entrava na sala com o irmão. Nós três ríamos à toa, fofocando sobre conhecidos do Ministério das Relações Exteriores, onde o marido de Sonoko trabalhava. Então, a um chamado da mãe, Kusano deixou a sala, e ficamos só eu e ela, como em certo dia dois anos antes.

Sonoko me contava com certo orgulho pueril que o marido não medira esforços para evitar que as forças de ocupação se apropriassem da casa dos Kusano. Eu gostava daquela sua jactância desde a época em que era uma menina. A mulher demasiado modesta é igual à arrogante — não possui encanto —, mas a bazófia serena e bem dosada de Sonoko exibia uma feminilidade inocente, agradável.

— A propósito — continuou ela, sempre tranquila —, tem uma coisa que eu queria muito lhe perguntar, mas não pude fazê-lo até agora. Fico imaginando por que não nos casamos. Depois de receber sua resposta, por intermédio do meu irmão, não conseguia mais entender este mundo. Não fazia outra coisa senão pensar, pensar e pensar, todo dia. Ainda assim não compreendi. E mesmo agora não entendo por que, afinal, não poderíamos ter nos casado...

Agora ela parecia zangada e, virando o rosto já um pouco vermelho em outra direção, perguntou-me como estivesse lendo:

— Você não gostava de mim?

Meu coração reagiu com uma espécie de alegria violenta e patética àquela pergunta, tão direta que soou com a objetividade de uma questão estritamente prática. Mas, num átimo, a alegria maldosa transformou-se em dor. Uma dor muito sutil. Em parte era dor genuína, mas nela havia também o orgulho ferido pela descoberta de que o reavivamento daquele episódio "insignificante" de dois anos antes machucava-me o coração. Quisera me libertar de Sonoko. Mas descobri que, como sempre, isso não era possível.

— Você ainda não sabe absolutamente nada a respeito deste mundo. E isso é uma das coisas que você tem de bom: essa ingenuidade. Mas, ouça, neste mundo, nem sempre duas pessoas que se gostam podem se casar. Foi o que escrevi na carta ao seu irmão. Além disso... — senti que estava prestes a dizer algo muito feminino, quis me calar, mas não consegui. — Além disso, não escrevi em lugar nenhum daquela carta que o casamento estava fora de questão. Eu só tinha vinte e um anos de idade, ainda era estudante, foi tudo tão de repente. E enquanto eu hesitava, você foi e se casou bem depressa.

— Bem, de minha parte, não tenho do que me arrepender. Meu marido me ama e eu também o amo. Sou muito feliz e não há nada além disso que possa desejar. Mas talvez seja um pensamento perverso, de vez em quando... Como posso dizer? Há momentos em que imagino um outro eu querendo levar uma outra vida. Então, fico confusa. Sinto vontade de dizer coisas que não poderia dizer, de pensar coisas que não deveria, e me dá um medo que mal consigo suportar. Nesses momentos, conto muito com meu marido. Ele me trata com muito carinho, como a uma criança.

— Pode soar presunçoso, mas quer que eu diga o que penso? Nessas horas, você me odeia. Me odeia profundamente.

Sonoko sequer entendia o significado de "odiar". Gentil, séria, fingiu amuar-se:

— Pense você o que quiser.

— Não podemos nos encontrar mais uma vez, só nós dois? —implorei-lhe, como se algo me compelisse a fazê-lo. — Não precisa se sentir constrangida. Ficarei satisfeito só de olhar para o seu rosto. Não tenho o direito de dizer mais nada. Você pode ficar calada, não precisa dizer nada. Nem que seja por apenas trinta minutos.

— Então, para que quer se encontrar comigo? Se nos virmos mais uma vez, não vai acabar me pedindo um novo encontro? Na família do meu marido, minha sogra é muito rígida: toda vez que saio, fica me perguntando aonde vou e a que horas volto. Encontrar-me com você assim, tão pouco à vontade, mas... — ela hesitou por um instante. — Bem, ninguém sabe dizer o que faz o coração humano bater, não é?

— Não, ninguém sabe. Mas você continua a mesma senhorita. Afetada de sempre, hein? Por que não consegue pensar nas coisas de forma mais alegre, mais leve?

Quantas mentiras horríveis não estava dizendo!

— Para um homem, não há problema. Mas para uma mulher casada as coisas não são bem assim. Você vai entender quando tiver uma esposa. Acho que nunca é demais considerar as coisas com muito cuidado.

— Puxa, até parece um sermão de uma irmã mais velha...

Nossa conversa foi interrompida pela entrada de Kusano na sala.

Mesmo durante aquele diálogo, eram intermináveis e profundas as dúvidas que se acumulavam dentro de mim. Eu jurava por Deus que a vontade de encontrar-me com Sonoko era verdadeira. Estava claro que não havia aí nem sombra de desejo sexual. Que tipo de desejo era aquele que me fazia querer encontrá-la? Não seria essa paixão, tão claramente isenta de desejo carnal, de novo uma forma de me iludir? Ainda que fosse verdadeira paixão, não estaria apenas atiçando, para que todos vissem, a débil chama, que tão facilmente se extinguia? Existirá amor totalmente desvinculado do desejo sexual? Não era isso o mais completo e óbvio absurdo?

Um outro pensamento me ocorria, porém. Considerando-se que a paixão do homem tem força suficiente para se sobrepor aos mais diversos absurdos, como afirmar que ela não tem o poder de se elevar acima de seus próprios disparates?

Desde aquela noite decisiva no bordel, eu lograra evitar as mulheres. Desde então, não tocara os lábios de uma única mulher —muito menos os lábios de efebo que de fato despertavam meu desejo sexual —, ainda que confrontado com uma situação em que não beijar era indelicado... Contudo, a chegada do verão, mais do que a primavera, punha em risco aquela minha solidão. Já em seu auge, ele açoitava os cavalos indomados do meu desejo. Queimava, torturava minha carne. Para me conter, eu por vezes tinha de recorrer ao meu mau hábito até cinco vezes num único dia.

As teorias de Hirschfeld, que explicam a inversão como um simples fenômeno biológico, haviam iluminado minha ignorância. Mesmo aquela noite decisiva havia sido nada mais do que uma consequência natural, não havia motivo para vergonha. A predileção pelos efebos em meus devaneios, sem nunca ter tomado o rumo da pederastia, assumira uma forma bem definida que os estudiosos comprovavam ser quase universal. Eu lera que impulsos como os que eu sentia não eram raros entre os alemães. O diário do conde Von Platen é um dos exemplos mais representativos disso. Winckelmann não era diferente. E, na Itália renascentista, está claro que Michelangelo possuía aqueles mesmos impulsos.

Isso não significa, porém, que minha vida emocional se resolvera pelo simples entendimento científico. No meu caso, a inversão resistia a se tornar parte da realidade pelo fato de se limitar a sombrios impulsos carnais apenas, àqueles que clamavam em vão, ofegantes em sua luta. Mesmo os atraentes efebos apenas excitavam-me o desejo sexual, nada além disso. Dizendo--o de maneira superficial, minha alma ainda pertencia a Sonoko. A fórmula medieval da luta entre a alma e o corpo, embora eu não pretenda aqui corroborá-la no todo, ajuda-me a explicar o que quero dizer: dentro de mim, essas duas coisas apresentavam--se separadas de maneira simples e bem definida. Para mim, Sonoko era a encarnação do amor que me levaria à normalidade, às coisas espirituais, à eternidade.

Mais uma vez, no entanto, o problema não se resolve com essa explicação. As emoções não apreciam a ordem fixa. Como partículas no éter, elas preferem voar livremente, flutuar, tremular...

Passado um ano, despertamos. Eu fora aprovado no concurso público, formara-me na universidade e trabalhava como auxiliar de escritório em uma repartição pública. Durante esse ano, havíamos tido oportunidades diversas de nos encontrar, algumas vezes como que por acaso, outras sob o pretexto de algum assunto trivial a tratar: a cada dois ou três meses, encontrávamo-nos por uma ou duas horas durante o dia, sem que nada acontecesse, e nos despedíamos da mesma forma. Era só isso. Não tinha nenhum motivo para me envergonhar desses encontros. Tampouco Sonoko se atrevia a ir além de uma ou outra lembrança do passado e de conversas que zombavam com recato da situação à nossa volta naquele momento. Eram encontros que sequer caracterizariam um mero relacionamento de amizade, muito menos um caso amoroso. E cada despedida os encerrava de forma clara e nítida.

Satisfazia-me com isso. E mais: agradecia ao que quer que fosse pela riqueza mística daquele relacionamento incoerente. Não havia um dia em que não pensasse nela, e toda vez que me encontrava com Sonoko sentia uma felicidade serena. Parecia que a sutil tensão e a esmerada simetria de nossos encontros se estendiam a todos os cantos e recantos de minha vida, impondo--lhes uma ordem transparente, ainda que frágil.

Mas um ano se passou, e nós despertamos. Já não habitá-vamos o mundo da infância, e sim o dos adultos, onde portas que se abrem apenas em parte devem ser logo consertadas. Nosso relacionamento, que mais lembrava uma porta que nunca se abria além de certo ponto, cedo ou tarde precisaria de reparos. Além disso, ao contrário das crianças, adultos não suportam brincadeiras monótonas. Nossos vários encontros, que reexaminamos um a um, não passavam de cartas num maço de baralho em que todas as cartas possuem o mesmo tamanho e a mesma espessura.

Dessa relação, minha astúcia extraía uma alegria imoral que eu era o único a compreender. Era uma imoralidade ainda mais sutil do que aquela comum neste nosso mundo, um vício asseado, como um requintado veneno. Uma vez que a imoralidade era a base de minha natureza, seu princípio primordial, tanto mais me agradava o sabor secreto e diabólico do pecado nos atos virtuosos, naquela relação irrepreensível com uma mulher, na conduta justa, isenta de subjetivismo, nos elevados princípios que me creditavam.

Havíamos estendido nossas mãos um para o outro e sustentávamos com elas uma espécie de substância gasosa — se acreditássemos que existia, por certo estava lá; senão, perdia-se. À primeira vista, sustentá-la parecia um trabalho simples, mas era na verdade o resultado de um cálculo que demandava habilidade e refinamento. Entre nossas mãos, eu gerara uma "normalidade" artificial, induzindo Sonoko a participar da perigosa operação que era pretender sustentar, momento a momento, um "amor" quase fictício. Sem o saber, ela parecia ter dado uma mãozinha nessa conspiração. E foi provavelmente essa mesma ignorância, e somente ela, que tornou sua ajuda eficaz.

Mas, com o tempo, até mesmo Sonoko começou a sentir a força daquele perigo indescritível, muito diferente dos perigos comuns e grosseiros deste mundo, porque dotado de densidade precisa e mensurável.

Certo dia, no final do verão, Sonoko acabara de regressar de uma temporada numa estação de veraneio nas montanhas, e eu a encontrei num restaurante chamado Le Coq d'Or. Logo lhe falei sobre meu pedido de demissão da repartição pública.

— O que você vai fazer agora?

— Deixar as coisas acontecerem.

— Nossa, não acredito!

Ela não se aprofundou no assunto. Uma espécie de código de não interferência já se estabelecera entre nós.

Sonoko bronzeara-se com o sol das montanhas e a região de seu colo perdera a alvura que chegava a ofuscar a vista. A pérola demasiado grande de seu anel estava opaca devido ao calor. No tom agudo de sua voz havia uma mistura musical de tristeza e languidez que, aos meus ouvidos, pareciam combinar perfeitamente com a estação. Por um tempo, mais uma vez, trocamos palavras sem sentido, numa conversa à toa, sem começo nem fim. Havia momentos em que era como rodopiar no vazio. Eu tinha a impressão de estar ouvindo a conversa entre dois estranhos. A mesma sensação que temos quando estamos quase despertando e, não querendo acordar do sonho agradável, somos impedidos de voltar a sonhar pelos esforços impacientes para adormecer de novo. Descobri que aquela insegurança do despertar que nos invadia com fingida ignorância, aquele prazer vazio do sonho instantes antes de acordar, carcomia nossos corações como um terrível bacilo. A doença atingira nossos corações quase ao mesmo tempo. E nos fez reagir com alegria. Fazíamos piadas sem cessar, como se, havendo silêncio entre elas, cada um temesse o que o outro poderia vir a dizer.

Ainda que o bronzeado destoasse um pouco de sua serenidade, as sobrancelhas infantis, os olhos úmidos de doçura, os lábios quase grossos transbordavam tranquilidade sob o penteado alto e elegante. Outras mulheres passavam por nossa mesa e olhavam para ela. Um garçom ia e vinha com uma bandeja de prata na qual sobremesas geladas repousavam sobre um enorme bloco de gelo em forma de cisne. Um anel brilhava no dedo com que Sonoko abria e fechava o fecho de metal de sua bolsa de plástico, produzindo um leve tinido.

— Já está entediada?

— Não diga uma coisa dessas.

Seu tom de voz parecia imbuído de um misterioso enfado. Poderia mesmo dizer que soava sensual. Os olhos voltavam-se para a rua e o verão além da janela. Bem devagar, ela disse:

— Às vezes fico confusa. Por que será que estou me encontrando desse jeito com você? E, mesmo assim, sempre acabo vindo.

— No mínimo, talvez porque não seja um nada negativo. Ainda que seja um nada, é positivo.

— Eu tenho uma coisa chamada marido. Mesmo que o positivo seja nada, não há lugar para ele.

— Que matemática mais intransigente!

Percebi que Sonoko enfim chegara às portas da dúvida. Ela começava a sentir que não podia deixar a porta defeituosa como estava. Era bem provável que, àquela altura, a chamada sensibilidade metódica, a aversão à desordem, respondesse por boa parte dos sentimentos que eu e Sonoko tínhamos em comum. Também eu ainda estava longe daquela idade em que se admite deixar as coisas como estão.

Ainda assim, de repente eu parecia estar diante de prova cristalina de que, sem querer, minha indescritível inquietude contagiara Sonoko e, mais do que isso, de que tudo o que tínhamos em comum agora era o sinal dessa perturbação. De novo, Sonoko expressou esse medo. Tentei não ouvi-la, mas minha boca dava respostas frívolas.

— O que você acha que vai acontecer se continuarmos desse jeito? Não vamos acabar num beco sem saída?

— Eu sempre fui muito respeitoso e acho que não devemos nos sentir culpados perante ninguém. Por que dois amigos não podem se ver?

— Até agora as coisas têm sido assim, como você diz. Você tem agido de forma irrepreensível. Mas não sabemos o que vai acontecer daqui para a frente. Não estou fazendo nada de vergonhoso, mas, ainda assim, tenho sonhos medonhos. Nesses momentos, eu me sinto como se Deus estivesse me castigando por pecados futuros.

O firme ressoar da palavra "futuro" me fez estremecer.

— Se continuarmos com isso — prosseguiu ela —, algum dia vamos acabar machucando um ao outro. Você não acha que então será tarde demais? Sim, porque o que estamos fazendo não é brincar com fogo?

— O que você entende por brincar com fogo?

— Ah, isso pode significar várias coisas.

— Então isso que fazemos também é brincar com fogo? Isso, que mais parece brincar com água?

Ela não sorriu. Durante as pausas ocasionais na conversa, contraía os lábios com força, a ponto de retorcê-los.

— Ultimamente, comecei a me achar uma mulher terrível. Só consigo me ver como uma mulher má, que se corrompeu espiritualmente. Nem em sonho devo pensar em outra pessoa além do meu marido. Decidi que quero ser batizada neste outono.

Nessa espécie de vã confissão, que para mim era motivada em parte por seu narcisismo, pressenti que Sonoko trilhava o peculiar paradoxo da alma feminina, acalentando o desejo inconsciente de dizer o que não deveria ser dito. Eu não tinha o direito nem de me alegrar nem de me entristecer. Como é que eu, que nem sequer sentia um mínimo de ciúme de seu marido, poderia exercer tais direitos, reclamando-os ou negando-os? Permaneci calado. A visão de minhas mãos, brancas e frágeis no auge do verão, deixou-me desesperado.

— E agora? — perguntei, por fim

— Agora?

Ela baixou os olhos.

— Em quem está pensando agora?

— No meu marido, é claro.

— Então não há necessidade de ser batizada, certo?

— Claro que há! Eu tenho medo. Ainda me sinto como se tremesse toda.

— Agora?

— Agora.

Sonoko ergueu seu olhar grave, como se pedisse ajuda a alguém. A beleza de suas pupilas era algo fora do comum. Eram profundas, imóveis, fatídicas, como uma fonte sempre a cantar uma profusão de emoções. Perdia a fala quando quer que deparasse com elas. De súbito, estendi o braço em direção ao cinzeiro, do outro lado da mesa, para apagar o cigarro que acabara de acender. E, ao fazê-lo, derrubei o delgado vaso de flores no centro da mesa, encharcando a toalha.

Um garçom veio limpar a sujeira. Vê-lo enxugar a toalha de mesa enrugada pela água provocou em nós uma sensação lastimável. Deu-nos o pretexto para que fôssemos embora um pouco mais cedo. O alvoroço das ruas no verão era irritante. Um saudável casal de namorados passou por nós, caminhando de peito inflado, os braços à mostra. Sentia-me como se todos me desprezassem. O desdém me queimava como o sol quente do verão.

Mais trinta minutos e chegaria o momento de nos separarmos. É difícil dizer ao certo se provinha da dor da separação, mas uma irritação sombria, nervosa, que mais parecia uma espécie de paixão provocara em mim a vontade de lambuzar com tintas densas aqueles trinta minutos, como uma pintura a óleo. Detive-me em frente a um salão de danças, de onde um alto-falante espalhava pela rua uma rumba fora do tom. Fora subitamente lembrado de um verso que havia lido fazia muito tempo:

Era sempre uma dança sem fim.

Tinha esquecido o resto. Sem dúvida, era um verso de um poema de André Salmon.

Embora não estivesse acostumada a fazê-lo, Sonoko concordou em entrar e me seguiu até o interior do salão, para trinta minutos de dança.

O local estava cheio de frequentadores assíduos, que seguiam dançando sem se preocupar com o tempo, prolongando por conta própria em uma ou duas horas o horário de almoço do escritório. Um bafo de ar quente acertou-nos em cheio no rosto. Sem um sistema apropriado de ventilação e com cortinas pesadas, sufocantes, que não deixavam entrar ar fresco, reinava ali dentro um calor febril, estagnado, asfixiante, erguendo uma nuvem leitosa de poeira que parecia uma camada de neblina contra a luz dos refletores. Não era difícil deduzir que tipo de gente dançava naquele salão, sem se importar com o cheiro de suor e de perfume e brilhantina baratos. Arrependi-me de ter entrado com Sonoko.

Mas meu eu daquele momento não conseguia voltar atrás. Mesmo sem vontade, fomos entrando pela multidão dançante. Os esparsos ventiladores não nos traziam uma brisa digna do nome. Uma moça e um rapaz vestindo uma camisa havaiana dançavam com as testas coladas, gotejantes de suor. Nas laterais, o nariz da mulher tinha uma coloração escura, e o pó facial, que empelotara com a transpiração, tinha o aspecto da acne. As costas de seu vestido estavam ainda mais encardidas e encharcadas do que a toalha de mesa na qual eu derrubara o vaso. Dançando ou não, o suor escorria pelo peito. Sonoko ofegava como se sentisse falta de ar.

Para respirar um pouco de ar fresco, fomos até um jardim interno; atravessamos uma arcada entrelaçada com flores artificiais que não condiziam com a estação e nos sentamos em cadeiras toscas. O ar estava de fato mais fresco, mas o chão de concreto refletia o calor, espraiando um mormaço escaldante que atingia até as cadeiras à sombra. A doçura da Coca-Cola aderia à boca. A agonia do desprezo que eu sentia por tudo aquilo parecia ter calado Sonoko também. Não podia mais suportar o tempo passando em silêncio, e comecei a olhar em torno.

Havia uma moça gorda encostada preguiçosamente a uma parede, abanando seu colo com um lenço. A banda tocava um *quick step* insuportável. Os abetos plantados em vasos inclinavam-se sobre a terra rachada que os continha. Todas as cadeiras à sombra de um toldo estavam tomadas; como era de esperar, ninguém se atrevia a sentar naquelas expostas ao sol.

Um grupo, porém, estava sentado ao sol; conversavam e riam como se não houvesse mais ninguém presente. Eram duas garotas e dois rapazes. Pelo modo como uma das moças segurava um cigarro, via-se que não estava acostumada a fumar: toda vez que o levava à boca, dava uma tossidinha esfumaçada. As duas usavam vestidos estranhos, sem mangas, que pareciam quimonos de verão reformados. Nos braços vermelhos como os de filhas de pescadores havia marcas esparsas de picadas de insetos. Sempre que os rapazes faziam piadas sujas, elas se entreolhavam indagativas e riam. Pareciam não se importar muito com o sol escaldante que incidia sobre seus cabelos. Um dos jovens tinha um semblante ardiloso, um pouco pálido, e vestia uma camisa *aloha*. Mas seus braços eram fortes. Um sorriso obsceno sempre se esboçava e depois desaparecia de seus lábios em lampejos fugazes. Com a ponta do dedo, cutucava os seios das garotas, fazendo-as rir.

Meu olhar se deteve em outro rapaz. Tinha uns vinte e dois, vinte e três anos, traços rudes mas simétricos e pele bronzeada. Seminu, desenrolava e ajeitava novamente na cintura uma faixa de algodão grosseiro, já acinzentada pelo suor. Parecia fazê-lo com lentidão deliberada, sem deixar de participar da conversa ou das risadas do grupo. O peito desnudo mostrava músculos protuberantes, rijos, maciços, formando sulcos profundos, tridimensionais, os quais, por sua vez, desciam da altura do tórax ao abdômen. Nervos grossos como correntes afunilavam-se e entrelaçavam-se em seus flancos, tanto à direita quanto à esquerda. Voltas apertadas, severas, da faixa encardida envolviam a massa quente de seu torso liso. Os ombros queimados de sol, seminus, brilhavam como se cobertos de óleo. Tufos negros e encrespados sobressaíam das dobras das axilas, cintilando dourados sob o sol.

Àquela visão, e em especial quando notei uma peônia tatuada em seu braço rijo, fui tomado pelo desejo. Meu olhar atencioso, ardente, fixou-se naquele corpo rude e selvagem, mas de beleza sem par. O rapaz ria ao sol. Quando jogava a cabeça para trás, eu podia ver o saliente pomo de adão. Uma estranha palpitação percorreu-me o fundo do peito. Não conseguia mais tirar os olhos dele.

Esquecera-me da existência de Sonoko. Pensava apenas numa única coisa: que, do jeito que estava, seminu, ele sairia às ruas daquele verão pleno e lutaria contra algum bando rival. Uma adaga afiada cravar-se-ia em seu torso, atravessando a faixa na cintura, que então se tingiria de sangue; e seu cadáver ensanguentado seria trazido de volta àquele lugar sobre um pedaço de tábua...

— Temos mais cinco minutos.

A voz aguda e triste de Sonoko chegou aos meus ouvidos. Voltei-me para ela com um ar de espanto.

Nesse instante, algo dentro de mim partiu-se em dois com força brutal, como se um raio tivesse atingido e fendido uma árvore viva. Ouvi o estrondo da estrutura que vinha erguendo até aquele momento — peça por peça, com meu coração e minha alma — desmoronar miseravelmente. Senti-me como se tivesse testemunhado o momento em que minha existência se transformava numa temível "inexistência". Fechei os olhos e, num instante, recuperei o controle de meu gélido senso de dever.

— Só cinco minutos? Foi um erro trazer você a um lugar destes. Não está zangada? Uma pessoa como você não deve ver a vulgaridade de gente tão baixa. Ouvi dizer que este salão de dança não teve a esperteza de pagar para que os bandos de baderneiros fossem embora, e que por isso eles vêm aqui e querem dançar de graça, pouco se importando se não são bem-vindos.

Somente eu, porém, estivera olhando para eles. Sonoko não fizera menção de observá-los. Fora educada para não ver coisas que não devem ser vistas. Apenas olhava fixa e distraidamente para a fileira de costas suadas a contemplar a dança.

Ainda assim, sem que ela o percebesse, parecia que a atmosfera daquele local provocara algum tipo de transformação química em Sonoko também, e logo a sombra de um sorriso esboçou-se em seus lábios tímidos, como se antegozasse aquilo que estava para dizer.

— É uma pergunta impertinente, mas você *já* fez, não é? É claro que *já* fez aquilo, não fez?

Minhas forças haviam se esgotado. Restava dentro de mim, porém, um derradeiro gatilho que de pronto disparou uma resposta plausível, antes mesmo que eu pudesse pensar.

— É, já fiz, sim. Sinto muito dizer isso.

— E quando foi?

— Na primavera do ano passado.

— Com quem?

Fiquei surpreso com a pergunta refinada e ingênua ao mesmo tempo. Ela não se dava conta de que não conseguia me imaginar com uma mulher cujo nome desconhecesse.

— Não posso dizer o nome.

— Ora, quem é?

— Não me pergunte, por favor.

Ela logo se calou, parecendo surpresa, talvez porque não esperasse um tom de súplica tão evidente em minha voz. Eu me esforçava ao máximo para que ela não percebesse o sangue se esvaecer de meu rosto. O momento da separação era aguardado com ansiedade. Um blues vulgar revolvia o tempo. Imersos na voz sentimental que vinha do alto-falante, permanecemos imóveis.

Sonoko e eu olhamos para nossos relógios de pulso quase ao mesmo tempo.

Estava na hora. Ao me levantar, lancei ainda um olhar furtivo na direção das cadeiras ao sol. Aparentemente o grupo fora dançar, as cadeiras vazias deixadas sob o sol abrasador. Algum tipo de bebida fora derramado sobre a mesa e emitia reflexos cintilantes, aterradores.

1ª EDIÇÃO [2004] 4 reimpressões

ESTA OBRA FOI COMPOSTA PELA PÁGINA VIVA EM ELECTRA
E IMPRESSA PELA GEOGRÁFICA EM OFSETE SOBRE PAPEL PÓLEN DA
SUZANO S.A. PARA A EDITORA SCHWARCZ EM JULHO DE 2024.

A marca FSC® é a garantia de que a madeira utilizada na fabricação do papel deste livro provém de florestas que foram gerenciadas de maneira ambientalmente correta, socialmente justa e economicamente viável, além de outras fontes de origem controlada.